Literaturwissenschaft — Gesellschaftswissenschaft

Dietrich Steinbach

Die historisch-kritische Sozialtheorie der Literatur

Ernst Klett Stuttgart

Literaturwissenschaft — Gesellschaftswissenschaft

Materialien und Untersuchungen zur Literatursoziologie
herausgegeben von Theo Buck und Dietrich Steinbach

1. Auflage   1 5 4 3 2 1 | 1977 76 75 74 73

Umschlag: H. Lämmle, Stuttgart
Druck: Feindruck Franz Pistotnik, 7016 Gerlingen, Siemensstr. 52
ISBN 3-12-391400-3

Inhaltsverzeichnis

I. Über den Zusammenhang von Theorie, Gegenstand und Methode

Wenn es im folgenden darum geht, ein bestimmtes literaturanalytisches Methodenkonzept aus dem Zusammenhang der im zugrunde liegenden und mit ihm korrelierenden Theorie der Literatur zu entwickeln und es anschließend in einer Modellanalyse zu erproben, so muß zunächst das in diesem bestimmten Ansatz zugleich vorausgesetzte und intendierte Verhältnis zwischen Theorie, Gegenstand und Methode untersucht werden.

Als Ausgangspunkt sind dafür einige Thesen aus Adornos ,Ästhetischer Theorie' dienlich: „Kunst hat ihren Begriff in der geschichtlich sich verändernden Konstellation von Momenten; er sperrt sich der Definition" (S. 11). „Die Definition dessen, was Kunst sei, ist allemal von dem vorgezeichnet, was sie einmal war, legitimiert sich aber nur an dem, wozu sie geworden ist, offen zu dem, was sie werden will und vielleicht werden kann [...]. Deutbar ist Kunst nur an ihrem Bewegungsgesetz, nicht durch Invarianten" (S. 11/12). „Die Erkenntnis der Kunstwerke folgt eigener erkennender Beschaffenheit" (S. 516). „Der Begriff künstlerischer Erfahrung, an den Ästhetik übergeht, und der durch das Desiderat, zu verstehen, unversöhnlich mit dem Positivismus ist, koinzidiert indessen keineswegs mit dem gängigen der werkimmanenten Analyse" (S. 517).[1] In diesen anti-positivistischen Thesen, die die Objektbestimmung in die Theoriereflexion aufnehmen und beide zu wechselseitig bezogenen und impliziten Momenten des Erkenntnisprozesses machen, wird die Ontologisierung der Literatur ebenso ausgeschaltet wie der objektivistische Schein einer „unkritisch-neutralistischen"[2] Phänomen-Erfassung. Damit wird zugleich auch die kontemplative Einstellung der theorie- und begriffslosen Einfühlungs-Ästhetik abgewiesen, die ihre (ideologische) Entsprechung eben im „Rigorismus der Positivisten"[3] findet.

Die in den Erkenntnis-Gegenstand eingreifende Theorie konkretisiert sich in der aus ihr abgeleiteten Methode der Analyse, die analog auf ihren Gegenstand einwirkt: „Wissenschaftliche Methode zeichnet sich dadurch aus, daß sie, zu neuen Gegenständen führend, neue Methoden entwickelt. Genau wie Form in der Kunst sich dadurch auszeichnet, daß sie, zu neuen Inhalten führend, neue Formen entwickelt."[4]

Die Entwicklung neuer Methoden der Literaturanalyse, die zu neuen, d. h. unter veränderten historischen Bedingungen neu und anders gesehenen literarischen Gegenständen führt, kann sich demnach nicht absolut und abgeschnitten vom objektiven Geschichtsprozeß vollziehen; sie ist vielmehr konkret-historisch determiniert. Damit wird der literarische Gegenstand, allein schon durch

---

(1) Ästhetische Theorie. Gesammelte Schriften, Band 7. Frankfurt 1970.
(2) Adorno: Der Positivismusstreit in der deutschen Soziologie. In: Aufsätze zur Gesellschaftstheorie und Methodologie. Suhrkamp Theorie. Suhrkamp Verlag, Frankfurt 1970, S. 221.
(3) Adorno (Anm. 2), S. 221.
(4) Benjamin, Walter: Passagenwerk, Konvolut N, Bl. 9. Zitiert nach: Tiedemann, Rolf: Notiz zu einem Fragment Benjamins. Kursbuch 20, 1970, S. 8.

die Wirkung der sich umwälzenden methodischen Auffassung, in seiner scheinbaren und ihm jedenfalls nur äußerlichen Konsistenz und Abgeschlossenheit aufgesprengt und zum beweglichen Moment des prozeßhaft-eingreifenden Denkens verflüssigt. (Benjamin [5] hat dafür die Begriffe der „prismatischen Arbeit" und des „destruktiven" Bewußtseins eingeführt. Vgl. dazu auch Brechts Begriff des „eingreifenden Denkens".[6])

Das bedeutet, daß der literarische Gegenstand jeweils der historischen Erfahrung des Lesers ausgesetzt, d. h. als eine im historischen Prozeß anhängige Sache und als Vermittlungsmoment der Totalität, der gesamtgesellschaftlichen Entwicklung aufgefaßt wird. Nur diese Methode der Analyse, die Zustände in Bewegungen auflöst und die im literarischen Einzelphänomen (dem Text) scheinbar stillgestellte Wirklichkeit in den ästhetischen und sozialen Geschichtsprozeß zurückversetzt und sie damit nach ihrer prozeßhaft-veränderbaren Seite befragt, läßt kritisch-eingreifendes Lesen und Denken vom Standpunkt der Gegenwart aus zu.

Methode und Deutung sind folglich keineswegs beliebig. Vielmehr gilt: „Vermittelt wird zwischen dem Phänomen und seinem der Deutung bedürftigen Gehalt durch Geschichte: was an Wesentlichem im Phänomen erscheint, ist das, wodurch es wurde, was es ist, was in ihm stillgestellt ward und was im Leiden seiner Verhärtung das entbindet, was erst wird. Auf dies Stillgestellte, die Phänomenalität zweiten Grades richtet sich der Blick von Physiognomik [...]. Deutung ist denn auch nicht nach dem Usus phänomenologischer Invarianz zu verabsolutieren. Sie bleibt mit dem Gesamtprozeß der Erkenntnisse verflochten." [7]

Diese methodische Konzeption des literarischen Gegenstands (des Textes) als eines dialektischen „Durchgangsorts" [8], in der sich die historisch-kritische Theorie der Literatur spiegelt, erfährt ihre Begründung letztlich darin, daß der Gegenstand selbst immer schon ein vermittelter ist: aufgrund der historisch-gesellschaftlichen Bedingungen seiner Entstehung und Überlieferung und aufgrund der ihm folglich immer eingekerbten menschlichen Interessen.

In der solcherart bestimmten Konzeption, die sich prinzipiell gegen den „Exorzismus von Geschichte" [9] wendet, handelt es sich nicht nur darum, „die Werke des Schrifttums im Zusammenhang ihrer Zeit darzustellen, sondern in der Zeit, da sie entstanden, die Zeit, die sie erkennt — das ist die unsere —, zur Darstellung zu bringen. Damit wird die Literatur ein Organon der Ge-

---

(5) Benjamin: Erwiderung an Oscar A. H. Schmitz. In: Prokop, Dieter: Materialien zur Theorie des Films. München 1971, S. 63. Und: Benjamin: Der destruktive Charakter. In: Illuminationen. Frankfurt 1961, S. 310/12.
(6) Brecht: Fünf Schwierigkeiten beim Schreiben der Wahrheit. In: Politische Schriften. Frankfurt 1970, S. 83, und: Das Denken als ein Verhalten. Ebenda, S. 61—63.
(7) Adorno (Anm. 2), S. 209/10.
(8) Bloch, Ernst: Über Gegenwart in der Dichtung. In: Literarische Aufsätze. Gesamtausgabe Band 9. Frankfurt 1965, S. 155.
(9) Benjamin, Walter: Literaturgeschichte und Literaturwissenschaft. In: Angelus Novus. Ausgewählte Schriften 2. Frankfurt 1966, S. 456.

schichte", d. h. zugleich ein Organon der geschichtlichen und gesellschaftlichen Erkenntnis und somit der Praxis.

Eine historisch-kritische Sozialtheorie der Literatur, die sich aus diesen Perspektiven ableitet, wird demnach zwei weitere methodische Voraussetzungen in sich aufzunehmen haben:

1. Die methodische Isolierung und Departementalisierung der Literatur wird abgelöst durch die Bemühung, „den Weg zum Kunstwerk durch Zertrümmerung der Lehre vom Gebietscharakter der Kunst zu bahnen", d. h. „den Integrationsprozeß der Wissenschaft, der mehr und mehr die starren Scheidewände zwischen den Disciplinen wie sie den Wissenschaftsbegriff des vorigen Jahrhunderts kennzeichnen, niederlegt, durch eine Analyse des Kunstwerks zu fördern, die in ihm einen integralen, nach keiner Seite gebietsmäßig einzuschränkenden Ausdruck der religiösen, metaphysischen, politischen, wirtschaftlichen Tendenzen einer Epoche erkennt [...]. Vor allem aber scheint mir eine derartige Betrachtung Bedingung jeder eindringlich physiognomischen Erfassung der Kunstwerke in dem worin sie unvergleichbar und einmalig sind." [10]

2. Die physiognomische Erfassung der literarischen Werke in ihrer Phänomenalität zweiten Grades schließt ein, daß „die gesellschaftliche Deutung" und Analyse „nicht unvermittelt auf den sogenannten gesellschaftlichen Standort oder die gesellschaftliche Interessenlage der Werke oder gar ihrer Autoren zielen" darf. „Vielmehr hat sie auszumachen, wie das Ganze einer Gesellschaft, als einer in sich widerspruchsvollen Einheit, im Kunstwerk erscheint; worin das Kunstwerk ihr zu Willen bleibt, worin es über sie hinausgeht. Das Verfahren muß, nach der Sprache der Philosophie, immanent sein. Gesellschaftliche Begriffe sollen nicht von außen an die Gebilde herangetragen, sondern geschöpft werden aus der genauen Anschauung von diesen selbst." [11]

Sie zeichnen sich folglich aus durch die „Sättigung der genauesten künstlerischen Erfahrung mit dem nicht minder genauen Wissen von der Bewegungstendenz der technischen Produktivkräfte" sowie des Geschichtsprozesses insgesamt. Das heißt: „Kunst wird erklärt aus der gesellschaftlichen Totalität, ohne daß doch darüber der spezifische Ort und die spezifische Funktion der einzelnen Phänomene zu kurz kämen." [12]

II. Abgrenzung gegen andere literatursoziologische Verfahrensweisen

Auf der Grundlage der bisherigen Überlegungen ergeben sich nunmehr zunächst Abgrenzungen der historisch-kritischen Sozialtheorie der Literatur gegen andere literatursoziologische Verfahrensweisen.

(10) Benjamin: Drei Lebensläufe. In: Zur Aktualität Walter Benjamins. suhrkamp taschenbuch 150. Frankfurt 1972, S. 46/47.
(11) Adorno: Rede über Lyrik und Gesellschaft. In: Noten zur Literatur I. Frankfurt 1965, S. 76.
(12) Horkheimer/Adorno (Hrsg.): Soziologische Exkurse. Institut für Sozialforschung. Frankfurt 1956, S. 94/95.

1. *Die empirisch-positivistische Literatursoziologie,* die sich „ästhetischer Stellungnahme" [13] und der Analyse der literarischen Werke selbst bewußt enthält, bezieht ihre methodischen Kategorien, die sie von außen an die literarischen Phänomene heranträgt und die ihnen mithin äußerlich bleiben müssen, unvermittelt aus dem Bereich der allgemeinen Soziologie und der etablierten Sozialwissenschaften. „Indem die Literatursoziologie als eine spezielle Soziologie verstanden wird, ist sie, sowohl was ihre Methode als auch was ihren Gegenstand betrifft, der allgemeinen Soziologie verpflichtet. Da die Soziologie das soziale, d. h. intersubjektive Handeln zum Forschungsgegenstand hat, ist sie nicht am literarischen Werk als ästhetischem Gegenstand interessiert, sondern Literatur wird nur insofern für sie bedeutsam, als sich mit ihr, an ihr und für sie spezielles zwischenmenschliches Handeln vollzieht. Die Literatursoziologie hat es demnach mit dem Handeln der an der Literatur beteiligten Menschen zu tun; ihr Gegenstand ist die Interaktion der an der Literatur beteiligten Personen." [14]

Die empirisch auszumachenden und notierbaren sozialen Faktoren des literarischen Interaktionsfeldes, das sich aus den aufeinander bezogenen Bereichen der literarischen Produktion, Distribution und Konsumtion und den jeweils daran beteiligten Personen zusammensetzt, werden damit zum Forschungsgegenstand einer vorherrschend sozialtechnologisch orientierten Kommunikationssoziologie.[15] Diese Methode immunisiert sich gegen prozeßhaft-eingreifendes Denken außer durch ihren positivistischen Rigorismus vor allem auch dadurch, daß sie abgetrennte Epiphänomene der Literatur, die den entscheidenden Zusammenhang ausblenden, in den Mittelpunkt stellt.

Das bedeutet aber nicht, daß die Verfahrensweisen und Ergebnisse der empirischen Literatursoziologie (insbesondere in Beziehung auf lesersoziologische Untersuchungen) als entbehrlich gelten können. Vielmehr müssen sie, jeweils an entsprechender Stelle, in den Prozeß der historisch-kritischen Literaturanalyse einbezogen werden. Sie haben demnach komplementäre Funktion — aber auch nur diese.

2. Die „scholastische" [16] und dogmatisch verfestigte (oder verfälschte) marxistische Literaturtheorie unterstellt, wider das bessere Wissen von Marx selbst, ein lineares und kausal-mechanistisches (ökonomistisches) Ableitungsverhältnis zwischen Basis und Überbau. Darin begründet sich eine ebenso starr dualistische wie punktuelle (anti-prozeßhafte) *Reflextheorie* der Literatur, die, abgelöst vom Totalitätsdenken, jedem einzelnen literarischen (Überbau-)Phänomen einen ökonomischen (Basis-)Faktor als Bestimmungs- und Erklärungsgrund zuordnen zu können meint.

---

(13) Hahn, Peter: Theoretische Möglichkeiten eines gesellschaftsbezogenen Kunstbegriffs. In: Literaturwissenschaft und Sozialwissenschaften. Stuttgart 1971, S. 152. Vgl. dazu auch Warneken, Bernd Jürgen: Zur Kritik positivistischer Literatursoziologie (ebenda).
(14) Fügen, H. N.: Die Hauptrichtungen der Literatursoziologie. Bonn 1966, S. 14.
(15) Vgl. dazu Adorno: Thesen zur Kunstsoziologie. In: Ohne Leitbild. Parva Aesthetica. edition suhrkamp 201. Frankfurt 1968, S. 94—103.
(16) Benjamin: Fragment (Anm. 4), S. 8.

Diese Konzeption der Reflextheorie widerspricht jedenfalls dem auch von Marx ausgemachten materialistisch-ästhetischen Gesetz der dialektischen „Disproportion", d. h. des „unegalen Verhältnisses der Entwicklung der materiellen Produktion, z. B. zur künstlerischen".[17]

Das dialektisch-unegale Verhältnis signalisiert grundsätzlich „eine Warnung vor einer mechanischen Ableitung der Ideologien vom ökonomischen Unterbau und eine Aufforderung zur sinnvollen Einordnung der ideologischen Erscheinungen ins Ganze der funktionalen Beziehungen innerhalb der Produktionsverhältnisse. Einer solchen Betrachtungsweise kommt es dann nicht mehr darauf an, zu jedem ideologischen einen eigenen ökonomischen Punkt in der Geschichte zu finden. Im Gegenteil, da Ökonomie und Ideologie ihrerseits Struktureinheiten darstellen, die in einer funktionalen und dialektischen Abhängigkeit innerhalb der gesellschaftlichen Totalität zueinander stehen — die Ideologie als Ganzes daher immer nur als Funktion der Ökonomie aufscheint —, genügt es, wenn einzelne, gerade der Betrachtung unterworfene Momente einer Ideologie einem größeren ideologischen Zusammenhange zugeordnet und dieser dann seinerseits ökonomisch erklärt wird."[18]

Ein anderer (später noch ausführlich zu untersuchender) Punkt der Kritik an der dogmatisch für die Literatur geltend gemachten Reflextheorie besteht darin, daß es, gerade auch in marxistischer Sicht, immerhin fragwürdig ist, die Sprache (und damit die Literatur) schematisch in den Überbau abzuschieben. In der ‚Deutschen Ideologie' findet sich die entscheidende Feststellung: „Die Sprache ist so alt wie das Bewußtsein — die Sprache i s t das praktische, auch für andre Menschen existierende, also auch für mich selbst erst existierende wirkliche Bewußtsein, und die Sprache entsteht, wie das Bewußtsein, erst aus dem Bedürfnis, der Notdurft des Verkehrs mit andern Menschen."[19] Wenn die Sprache aber das wirkliche, praktische Bewußtsein ist, so kann sie „nicht nur das Vehikel oder das Instrument eines zuvor schon existierenden Bewußtseins"[20] sein. Sie ist vielmehr „das gesellschaftliche Medium des Bewußtseins, seine Existenzgrundlage"[20] und folglich ein Organon der Praxis.

3. Die an der *Textlinguistik* orientierte *„Theorie der nicht-mimetischen Kunst und Literatur"*[21] definiert die Literatur als „Subsystem gesellschaftlicher Kommunikation"[22], d. h. als ein soziales und „kommunikatives Handlungs-

(17) Marx: Einleitung zur Kritik der politischen Ökonomie. MEW 13. Berlin 1971, S. 640.
(18) Kofler, Leo: Die Wissenschaft von der Gesellschaft. Umriß einer Methodenlehre der dialektischen Soziologie. Mannheim 1971, S. 104/105.
(19) Marx/Engels: Die deutsche Ideologie. MEW 3. Berlin 1958, S. 30.
(20) Lefèbvre, Henri: Soziologie der Erkenntnis und Ideologie. In: Folgen einer Theorie. Essays über ‚Das Kapital' von Marx. edition suhrkamp 226. Frankfurt 1971, S. 136.
(21) Untertitel zu Schmidt, S. J.: Ästhetische Prozesse. Köln/Berlin 1971.
(22) Schmidt: Das Ästhetische und das Politische. Ebenda, S. 55, 59 und 61. Desgleichen die folgenden, nicht weiter gekennzeichneten Zitate. Vgl. dazu auch Schmidt, S. J.: Ist ‚Fiktionalität' eine linguistische oder eine texttheoretische Kategorie? In: Textsorten. Differenzierungskriterien aus linguistischer Sicht, hrsg. von E. Gülich und W. Raible. Athenäum-Skripten Linguistik. Frankfurt 1972, S. 59—71.

system". „Die verwendeten Handlungsmaterialien sind Zeichen, die auftretenden Relationen zwischen Zeichen und Zeichenbenutzern informative Prozesse. Kunst ist, allgemein soziologisch betrachtet, ein kommunikatives Handlungsspiel in sozio-kulturellen Kontexten, und damit zugleich ein gesellschaftliches und historisches Phänomen." Um die Beziehung zwischen Kunst und Gesellschaft „adäquat zu sehen, muß die Seite der Rezeption ästhetischer Texte genauer untersucht werden; denn hier, in der faktisch vollzogenen Kommunikation mit Kunstwerken, muß die gesellschaftliche Relevanz des spezifischen ästhetischen kommunikativen Handlungsspiels lokalisiert werden". „Der Rezipient realisiert den Text nach Maßgabe seiner Erwartungen und sinngebenden Operationen." [22]

Dieser *sozio-semiotische* Ansatz, der sich ähnlich auch schon bei Mukařovský[23] findet, stellt fraglos eine wichtige Komponente der soziologischen Literaturanalyse dar. Indessen sollten seine Unzulänglichkeiten, vollends dann, wenn er sich als autark versteht, nicht übersehen werden. Dazu gehört zunächst die prinzipielle Schwierigkeit, „faktisch vollzogene Kommunikation" überhaupt jeweils konkret ausfindig zu machen und verbindlich festzustellen. Zudem richtet sich diese Untersuchungsmethode einseitig fast nur auf die aktuelle „Rezeption ästhetischer Texte" (wobei die Inhalte sich häufig genug in bloß formalistischen Erkundungen des Kommunikationsprozesses auflösen oder im semantischen Positivismus erstarren). Ein weiterer Nachteil liegt demzufolge darin, daß das literarische Gebilde kaum noch in seiner Phänomenalität zweiten Grades als prozeßhaftes Vermittlungsmoment der gesellschaftlichen Totalität aufgefaßt wird. Daraus ergibt sich unvermeidlich die Tendenz zur methodischen Ausblendung des ästhetischen und sozialen Geschichtsprozesses.

Im übrigen lassen sich auch die für die faktisch vollzogene Kommunikation maßgebenden Erwartungen und sinngebenden Operationen des Rezipienten nicht losgelöst von ihren objektiven historischen Bedingungen analysieren. „Der ästhetische Gehalt existiert nicht unabhängig von der Rezeptionsgeschichte; was aber in den Produkten neue Momente nicht nur entdecken läßt, sondern geradezu erst schafft, sind nicht Meinungswandlungen über sie, sondern objektive Verschiebungen wie etwa ihre technische Massenreproduktion, allgemein gesprochen Veränderungen von Produktivkräften und Produktionsverhältnissen, von denen Werk wie Meinung abhängen." [24]

(23) Mukarovský, J.: Die Kunst als semiologisches Faktum. edition suhrkamp 428. Frankfurt 1970, S. 138—147.
(24) Warneken (Anm. 13), S. 109. — Zur Kritik am strukturalistischen und texttheoretischen Ansatz vgl. auch: Gallas, Helga (Hrsg.): Strukturalismus als interpretatives Verfahren. Sammlung Luchterhand 35. Darmstadt und Neuwied 1972, und: Günther, Hans (Hrsg.): Marxismus und Formalismus. Reihe Hanser 115. München 1973.

III. Voraussetzungen des Prozeß- und Totalitätsdenkens: die Geschichtlichkeit des ästhetischen Bewußtseins und der ästhetischen Theoriebildung bei Herder — die Literatur im „Feld von Veranlassungen"

Es ist nur folgerichtig, wenn die historisch-kritische Sozialtheorie der Literatur zunächst selbst historisiert wird, d. h. mit ihren eigenen geschichtlichen Voraussetzungen sich verbindet und damit auf einige (meistens traditionell verschüttete) Elemente der älteren ästhetischen Theorie, die einen gesellschaftsbezogenen Literaturbegriff mindestens implizieren, zurückgeführt werden kann.

Erste Ansätze in dieser Hinsicht, die dann von Schiller und vor allem von Hegel fortentwickelt werden, finden sich bei Herder.

1. Die Tendenz zum geschichtlichen Prozeß- und Totalitätsdenken. „Alles ist auf der Erde im Wechsel, so Wissenschaften" (wozu Herder auch die Literatur rechnet), „so Staaten. Die Wissenschaft, wie die Regierung in abstracto, ist auf unserm sich immer drehenden Balle noch nicht erschienen, auch vielleicht nirgend erscheinbar. Sie sich also zu gedenken, nach diesem Ideal, einem schönen Trugbilde zu haschen, ist schön und nützlich; (man findet vieles auf dem Wege) der Welt indessen ist sie immer nur in einzelnen Zügen, nach solchen und solchen Veranlassungen die Entwicklung gewisser Lokalumstände gewesen." [25] Der idealistischen, vom objektiven Geschichtsprozeß sich ablösenden Abstraktion stellt Herder die geschichtlich-konkrete, von wechselnden „solchen und solchen Veranlassungen" determinierte Entwicklung und Veränderung entgegen.

In Beziehung auf die Literatur wird zugleich ein Totalitätsprinzip anvisiert, das sich in Benjamins „Zertrümmerung der Lehre vom Gebietscharakter der Kunst" [26] verwirklicht: „Ein großer Theil der Wissenschaften macht einen Körper, wo man kein einzelnes Glied nach bloßem Gutdünken pflegen kann, ohne dem Ganzen zu schaden: und dieser Theil trägt den Namen Litteratur. Ein weiter Name, dessen Gebiet sich von den ersten Buchstabierversuchen erstreckt, bis auf die schönste Blumenlese der Dichtkunst: von der Züchtigung elender Übersezzer nach der Grammatik und dem Wörterbuch bis zu den tiefsten Bemerkungen über die Sprache: von der Tropologie bis zu den Höhen, die nur das Sonnenpferd der Einbildungskraft auf Flügeln der Aurore erreicht: von den Handwerkssystemen bis zu den Ideen des Plato und Leibniz, deren jede, wie ein Sonnenstral, siebenfarbichtes Licht enthält: Sprache, Geschmackswissenschaften, Geschichte und Weltweisheit sind die vier Ländereien der Litteratur, die gemeinschaftlich sich zur Stärke dienen, und beinahe unzertrennlich sind." [27]

Entscheidend ist in diesem Zusammenhang außerdem, daß sich die beinahe

---

(25) Herder: Vom Einfluß der Regierung auf die Wissenschaften und der Wissenschaften auf die Regierung. Sämtliche Werke, hrsg. von Bernhard Suphan. Hildesheim 1967 (Reprografischer Nachdruck der Ausgabe Berlin 1891). Band 9, S. 371.
(26) Vgl. Anm. 10.
(27) Herder: Fragmente über die neuere deutsche Literatur (Einleitung zur Ersten Sammlung). Band 1, S. 142.

unzertrennlichen Ländereien der Literatur, deren Isolierung und Departementalisierung sich demnach verbietet, auch auf die „Geschmackswissenschaften" erstrecken. In ihnen, die gleichfalls historisch-konkret ausgerichtet sind, aktualisieren sich jeweils die prozeßhaft-veränderlichen Momente der Überlieferungs- und Wirkungsgeschichte. „In jedem Zeitalter muß es" (das Phänomen des Geschmacks) „so eigen untersucht werden, als ob's gar keinen andern Geschmack als diesen gegeben. Und wie kann man sichrer und tiefer gehn, als man in jedem Zeitpunkt simpel frägt: woher entstand der gute Geschmack hier? warum daurete er so lange? Alsdann wird man gleich sehen, daß er mit diesen Veranlassungen seiner guten Natur verfiel, daß nun andre Zeitumstände kamen, das schöne Phänomen zu zerstören." [28]

2. Die Geschichtlichkeit des ästhetischen Bewußtseins und der ästhetischen Theoriebildung.

„Es ist schlechthin unmöglich, daß eine philosophische Theorie des Schönen in allen Künsten und Wissenschaften sein kann, ohne Geschichte. Nicht bloß, daß viele Artikel, die konkrete Eigenschaften und Arten des Schönen betreffen, ganz allein auf Geschichte beruhen, daher entstanden sind, sich mit Zeit und Umständen abgeändert usw., wo man also ohne Geschichte immer Wortschlaube ohne Kern hat: sondern alle Artikel eines Hauptworts, eines ganzen Genus — selbst ihr Theoriebegriff bleibt ohne Geschichte immer schwankend. Warum? Nirgends oder selten sind hier durch sich bestimmte oder gar willkürlich gegebene Ideen, wie in Mathematik oder der allgemeinsten Metaphysik, sondern aus vielerlei Concretis erwachsene, in vielen Gattungen und Erscheinungen vorkommende Begriffe, in denen also Genesis alles ist." [29]

Mit aller Deutlichkeit wird hier auf die genetische Struktur und die konkrete Geschichtlichkeit nicht nur der ästhetischen Gebilde, der „konkreten Eigenschaften und Arten des Schönen" [30], sondern zugleich auch, in wechselseitiger Verschränkung und Begründung, des ästhetischen 'Theorienbegriffs' und damit ebenso des theorie- und begriffsbildenden Bewußtseins hingewiesen.

3. Die Literatur im „Feld von Veranlassungen" [31].

Aus dem Vorigen ergibt sich konsequent, daß die literarischen Gebilde selbst nicht autonome Entitäten, vielmehr geschichtlich veranlaßte Phänomene sind, die demnach auch aus dem Zusammenhang ihres „Feldes von Veranlassungen" erklärt und analysiert werden müssen.

Die Frage nach den konkreten Veranlassungen und Determinanten zielt für Herder auf den „Knoten, der die politische Geschichte mit der Geschichte der Wissenschaften, das Reich des Unsichtbaren menschlicher Kräfte mit der ganzen Sichtbarkeit seiner Anlässe, Triebfedern, Hindernisse, Veränderungen und der-

(28) Herder: Ursachen des gesunknen Geschmacks bei den verschiednen Völkern, da er geblühet. Band 5, S. 612/13.
(29) Herder: Rezension von Johann Georg Sulzer ,Allgemeine Theorie der schönen Künste'. Band 5, S. 380.
(30) Siehe Anm. 29.
(31) Herder: Ursachen des gesunknen Geschmacks bei den verschiednen Völkern, da er geblühet. Band 5, S. 617 und 620.

gleichen aufs sonderbarste und in jedem Zeitraum auf eine so eigene Art verwebt, daß vielleicht nirgend die Allmacht und Ohnmacht menschlicher Bemühungen sichtbarer wird als in diesem so mühsamen, weiten und verflochtnen Gange".[32]

Das im besonderen Zusammenhang der politischen Geschichte mit der Geschichte der Wissenschaften sich objektivierende „Feld von Veranlassungen" wird von Herder in bezug auf die Kultur Griechenlands näher bestimmt: Danach sind die griechischen Wissenschaften und Künste „Töchter ihrer Gesetzgebung, ihrer politischen Verfassung, insonderheit der Freiheit, der Würksamkeit zum gemeinen Besten, des allgemeinen Strebens und Miteifers gewesen. Ich schließe Nationalcharakter, Sprache, Clima, Lage, Zufälle der Geschichte und manches Andre nicht aus."[33]

Im Hinblick auf die Entwicklung der historisch-kritischen Sozialtheorie der Literatur bedarf es noch einer Anmerkung zu Herders geschichtlich-ästhetischer Konzeption. Zwar artikuliert Herder das prozeßhaft-genetische Prinzip, aber er bezieht es nur auf die sich historisch verändernden und jeweils von einem wechselnden „Feld von Veranlassungen" verschieden determinierten 'Äußerungen' und Äußerungsformen des Menschen. Die menschliche Individualität selbst bleibt demgegenüber von diesen Prozessen unberührt und ist im Grunde als substantiell unveränderlich und autonom charakterisiert: „Zu allen Zeiten war der Mensch derselbe; nur er äußerte sich jedesmal nach der Verfassung, in der er lebte."[34]

Ebenso wird das Faktorenfeld der geschichtlich-konkreten Veranlassungen und Bedingungen mehr im Bereich der ideologischen und politischen Verfassung einer bestimmten Zeit angenommen und noch nicht in die Sphäre der gesellschaftlichen und materiellen Produktion (die Sphäre der Produktivkräfte und Produktionsverhältnisse) ausgedehnt.

Grundsätzlich kann indessen davon ausgegangen werden, daß bei Herder konstitutive Elemente einer historisch-kritischen Theorie der Literatur schon angelegt sind: in der Tendenz zum Prozeß- und Totalitätsdenken, in der Geschichtlichkeit des ästhetischen Bewußtseins und des ästhetischen „Theorienbegriffs" sowie in der Vermittlung der Literatur mit einem Feld von jeweils konkreten Veranlassungen.[35]

(32) Herder: Vom Einfluß der Regierung auf die Wissenschaften und der Wissenschaften auf die Regierung, S. 312/13.
(33) Herder: Vom Einfluß der Regierung auf die Wissenschaften und der Wissenschaften auf die Regierung (Anm. 32).
(34) Herder: Briefe zur Beförderung der Humanität. Neuntes Fragment der Achten Sammlung, 107. Brief. Band 18, S. 139.
(35) Vergleichbare Ansätze in Richtung auf einen gesellschaftsbezogenen Kunstbegriff finden sich auch bei Schiller und Hegel. Vgl. dazu P. Hahn (Anm. 13), S. 172—189, und Metscher, Thomas W. H.: Hegel und die philosophische Grundlegung der Kunstsoziologie. In: Literaturwissenschaft und Sozialwissenschaften (Anm. 13), S. 13—80.

IV. Die Sprache als das wirkliche und praktische (gesellschaftliche) Bewußtsein

1. Sprachliche Produktion und gesellschaftliche Produktion

Soll das Feld der konkreten Veranlassungen und Bedingungen der Literatur in die Sphäre der gesellschaftlichen Produktion und Praxis, d. h. in die Sphäre der Arbeit und der sich historisch verändernden Produktionsweise sowie der durch sie vermittelten sozialen Beziehungen ausgedehnt werden (wie es einer wissenschaftlichen soziologischen Literaturanalyse jedenfalls zugemutet werden muß), so ergibt sich die Notwendigkeit, die historisch-kritische Sozialtheorie der Literatur zunächst in einer „historischen und soziologischen Theorie" [36] der gesellschaftlichen Funktion der Sprache zu fundieren. (Daß die Sprache selbst ein konstitutives, zugleich instrumentales und materiales Moment der Literatur darstellt, bedarf keiner weiterführenden Begründung.)

Als Ausgangspunkt ist dafür der Versuch von Marx dienlich, „die Sprache in der Praxis zu verwurzeln" [37], d. h. in der historisch bestimmten gesellschaftlichen Tätigkeit und Produktion des Menschen. Demnach ist die Sprache „so alt wie das Bewußtsein", mehr noch: „die Sprache ist das praktische, auch für andere Menschen existierende, also auch für mich selbst erst existierende wirkliche Bewußtsein".[38]

Das wirkliche und praktische, d. h. gesellschaftliche Bewußtsein aber, als das die Sprache sich erweist, kann, im Unterschied zu der Vorstellung eines sich verflüchtigenden bodenlosen und 'reinen' Bewußtseins, nicht abgelöst werden von seinen objektiven Voraussetzungen, seinen wie immer geschichtlich veranlagten Objekten, seinen vielfältigen und widersprüchlichen Beziehungen zu dem, was es sich nicht selbst ist; vielmehr ist es immer konkret an sie gebunden und kann mithin auch nur aus der Totalität seiner konkreten Bindungen und Vermittlungen analysiert werden.

„Es kann einem Fluch nicht entrinnen, nämlich befleckt zu sein von einer Materie, die sich hier darstellt in der Form von bewegter Luft, von Lauten, kurz: in der Sprache. Die Sprache ist so alt wie das Bewußtsein. Kein Bewußtsein ohne Sprache, denn die Sprache ist das wirkliche, praktische Bewußtsein, das für andere Menschen existiert, das also existiert für das bewußt gewordene Wesen. Die Sprache ist nicht nur das Vehikel oder das Instrument eines zuvor schon existierenden Bewußtseins, sagt Marx. Sie ist zugleich das natürliche wie auch das gesellschaftliche Medium des Bewußtseins, seine Existenzgrundlage. Sie entsteht mit dem Bedürfnis der Kommunikation, mit dem 'Verkehr' im weitesten Sinne zwischen den Menschen. Das Bewußtsein, das unlöslich an die Sprache gebunden ist, ist also ein gesellschaftliches Produkt." [39]

---

(36) Henri Lefèbvre (Anm. 20), S. 136.
(37) Lefèbvre (Anm. 20), S. 142.
(38) Marx (Anm. 19).
(39) Lefèbvre (Anm. 20), S. 136.

Wenn die Sprache das praktische, d. h. gesellschaftliche Bewußtsein ist, gilt zugleich, daß sie selbst „das Produkt einer durch den menschlichen Kopf, das Bewußtsein, vermittelten gesellschaftlichen und einer bestimmten historischen Dynamik unterworfenen Betätigungsweise des Menschen, nämlich der Arbeit" [40] darstellt. Sie selbst wird damit, als ein Produkt und Organon zugleich der sich umwälzenden gesellschaftlichen Praxis, zu einem historisch beweglichen und prozeßhaft veränderlichen Phänomen. Das gilt allerdings nur bedingt für die im weitesten Sinne formale (morphologische etc.) Struktur der Sprache, die sich, im Vergleich zu ihren inhaltlichen Momenten, den geschichtlichen Prozessen gegenüber relativ stabil verhält.

Den Implikationszusammenhang zwischen Sprache (als dem gesellschaftlichen Bewußtsein) und Arbeit verdeutlicht Kofler [41]: „Der Sachverhalt ist so vorzustellen, daß in einem bestimmten Augenblick der Entwicklung der gesellschaftlichen Arbeit sich die Notwendigkeit ergibt, Gegenstände und deren Eigenschaften, Produktivkräfte oder Tätigkeiten sprachlich zu bezeichnen. Ganz besonders wenn man sich in die Urzeit des Menschengeschlechts zurückversetzt, wird dies offenbar. Wann das Bedürfnis nach Bezeichnung und Einordnung bestimmter Erscheinungen der objektiven Welt in den Sprachschatz entsteht, kann nicht von den Objekten selbst abhängen, denn sie und ihre Eigenschaften sind an Zahl ihrer Erscheinungsformen unendlich, und die Reihenfolge ihrer sprachlichen Erfassung wäre dann eine völlig willkürliche. Welche Erscheinungen zuerst sprachlichen Ausdruck finden, hängt also nicht von ihnen selbst ab, sondern wesentlich von bestimmten sprachlichen Bedürfnissen, die in der *gesellschaftlichen* — und eine andere gibt es nicht — Tätigkeit der Menschen, vor allem in der Arbeit hervorgerufen werden. Denn hier in der Sphäre der Arbeit, des gesellschaftlichen Produzierens, stellt sich primär die Notwendigkeit ein, sich über *bestimmte* und in ihrer Reihenfolge durch den Arbeitsprozeß und seine Entwicklung selbst geordnete Faktoren zu verständigen. An keinem einzigen Punkte des gesellschaftlichen Seins bezieht sich also der sprachliche Reflex auf Gegebenheiten, die nicht in irgendeiner Weise Objekt *gesellschaftlicher* Beziehungen sind."

Der (von Kofler allerdings nicht zitierte) Ausgangspunkt für diese Überlegungen findet sich bei Marx: Die Menschen „fangen, wie jedes Tier, damit an, *zu essen, zu trinken* etc., also nicht in einem Verhältnis zu 'stehen', sondern *sich aktiv zu verhalten*, sich gewisser Dinge der Außenwelt zu bemächtigen durch die Tat, und so ihr Bedürfnis zu befriedigen. (Sie beginnen also mit der Produktion.) Durch die Wiederholung dieses Prozesses prägt sich die Eigenschaft dieser Dinge, ihre 'Bedürfnisse zu befriedigen', ihrem Hirn ein, die Menschen wie Tiere lernen auch 'theoretisch' die äußern Dinge, die zur Befriedigung ihrer Bedürfnisse dienen, vor allen andern unterscheiden. Auf gewissem Grad der Fortentwicklung, nachdem unterdes auch ihre Bedürfnisse und die Tätig-

(40) Kofler, Leo: Marxismus und Sprache. In: Stalinismus und Bürokratie. Sammlung Luchterhand 6, Neuwied/Berlin 1970, S. 145.
(41) Kofler (Anm. 40), S. 144.

keiten, wodurch sie befriedigt werden, sich vermehrt und weiterentwickelt haben, werden sie auch bei der ganzen Klasse diese erfahrungsmäßig von der übrigen Außenwelt unterschiednen Dinge sprachlich taufen. Dies tritt notwendig ein, da sie im Produktionsprozeß — i. e. Aneignungsprozeß dieser Dinge — fortdauernd in einem werktätigen Umgang unter sich und mit diesen Dingen stehn und bald auch im Kampf mit andern um diese Dinge zu ringen haben. Aber diese sprachliche Bezeichnung drückt durchaus nur aus als Vorstellung, was wiederholte Bestätigung zur Erfahrung gemacht hat, nämlich daß den in einem gewissen gesellschaftlichen Zusammenhang bereits lebenden Menschen (dies der Sprache wegen notwendige Voraussetzung) gewisse äußere Dinge zur Befriedigung ihrer Bedürfnisse dienen. Die Menschen legen diesen Dingen nur einen besondren (generic) Namen bei, weil sie bereits wissen, daß dieselben zur Befriedigung ihrer Bedürfnisse dienen, weil sie ihrer durch mehr oder minder oft wiederholte Tätigkeit habhaft zu werden und sie daher auch in ihrem Besitz zu erhalten suchen; sie nennen sie vielleicht 'Gut' oder sonst etwas, was ausdrückt, daß sie praktisch diese Dinge gebrauchen, daß diese Dinge ihnen nützlich, und geben dem Ding diesen Nützlichkeitscharakter als von ihm besessen, obgleich es einem Schaf schwerlich als eine seiner 'nützlichen' Eigenschaften vorkäme, daß es vom Menschen eßbar ist.

Also: die Menschen fingen tatsächlich damit an, gewisse Dinge der Außenwelt als Befriedigungsmittel ihrer eignen Bedürfnisse sich anzueignen etc. etc.; später kommen sie dazu, *sie auch sprachlich* als das, was sie in praktischer Erfahrung für sie sind, nämlich als *Befriedigungsmittel ihrer Bedürfnisse* zu bezeichnen, als Dinge, die sie 'befriedigen'. Nennt man nun diesen Umstand, daß die Menschen solche Dinge nicht nur praktisch als Befriedigungsmittel ihrer Bedürfnisse behandeln, sondern sie auch in der Vorstellung und, weiter, sprachlich als ihre Bedürfnisse, also *sie selbst 'befriedigende'* Dinge bezeichnen (solange das Bedürfnis des Menschen nicht befriedigt ist, ist er im *Unfrieden* mit seinen Bedürfnissen, also mit sich selbst), nennt man dies, 'nach dem deutschen Sprachgebrauch', ihnen einen 'Wert' beilegen, so hat man bewiesen, daß der allgemeine Begriff 'Wert' entspringt aus dem Verhalten der Menschen zu den in der Außenwelt vorgefundnen Dingen, welche ihre Bedürfnisse befriedigen, und mithin, daß dies der *Gattungsbegriff* von 'Wert' ist und alle andern Wertsorten, wie z. B. der chemische Wert der Elemente, nur eine Abart davon.[42] [. . .]"

Eine extreme Position hinsichtlich des Zusammenhangs von materieller und sprachlicher Produktion nimmt Rossi-Landi ein.[42a]

„Abriß der sprachlichen Produktion

Selbst eine sehr schematische Darstellung der Theorie sprachlicher Entfremdung, an welcher ich seit einigen Jahren arbeite, würde über die Grenzen dieses Aufsatzes hinausgehen. Ich werde hier nur formulieren, wo man, wie mir scheint, beginnen sollte. Der Mensch ist durch seine eigene Arbeit charakterisiert. Auch seine Sprache ist menschliche Arbeit, da ihre Produkte sicher nicht in der Natur existieren. Man kann von sprachlicher Produktion sprechen und diese als einen der beiden fundamentalen Faktoren bei der Konstitution des sozialen Lebens selbst im Bereich der Teilung der Arbeit auffassen. Den anderen Faktor stellt die Produktion von Werkzeugen und weiteren Artefakten dar (eine Analyse des Inzestproblems würde die Substanz dieses Sachverhalts nicht verändern).

(42) Marx: Randglossen zu A. Wagners ‚Lehrbuch der politischen Ökonomie'. MEW, Berlin 1962, Band 19, S. 362—364.
(42a) Rossi-Landi, F.: Die Sprache als Arbeit und als Markt. München 1972, S. 181—183.

Der Vergleich der sprachlichen mit der materiellen Produktion zeigt die Homologie beider: Das heißt, sie entwickeln sich nach Formen und Graden einer parallelen Komplexität und sind so einer einheitlichen Erklärung zugänglich. Die Arbeit ist immer Arbeit — sie drückt sich notwendig in den von ihr bearbeiteten Materialien aus, den angewandten Instrumentarien und den Produkten; und ein Produkt hat notwendig die Fähigkeit, seinerseits die Funktion eines Instruments oder des Materials zu übernehmen. Dieses interne Sich-Ausdrücken der Arbeit gilt für beide Formen der Arbeit, die materielle wie die sprachliche. Sie gehen beide von 'vorbearbeiteten' Materialien aus, die im Fall der sprachlichen Arbeit 'vorbedeutend' sind. Dann folgt eine Ebene des 'halb-Ausgearbeiteten', wo auf der einen Seite stabile und vollständige Modifikationen, die an physischen Materialien ausgeführt wurden, auf der anderen Seite Dinge wie Moneme auftreten. Es folgt eine Ebene vollendeter und trennbarer Teile: die ein Werkzeug konstituierender Teile und die Wörter. Der Komplexitätsgrad eines Werkzeugs ist derselbe wie der eines Satzes; geht man weiter, so findet man z. B., daß ein Syllogismus wie eine Maschine funktioniert (wie schon Hegel erkannte). Kurz, die sprachlichen Produkte können als ein Ensemble von Artefakten gesehen werden; andererseits können Ensembles materieller Artefakte als nicht-sprachliche Codes gesehen werden. Der Ansatz ist damit, wie man erkennt, der einer universalen Semiotik sozialer Codes, aber — komplementär dazu — ein Ansatz, der darin besteht, alle Codes, einschließlich der sprachlichen, in den Begriffen von Arbeit und Produktion zu interpretieren.

Auf dieser Basis wird es möglich, in die Analyse der Sprache jene methodisch-begrifflichen Apparate einzuführen, die zur Analyse der materiellen Arbeit und Produktion entwickelt wurden. Geht man von einer Analyse der sprachlichen Produktion aus, so gelangt man schrittweise zur Betrachtung von Erscheinungen wie Privateigentum und Ausbeutung in der Sprache. Wer andererseits die sprachliche Entfremdung analysieren will, kann nicht an den anderen Formen von Entfremdung vorübergehen, und wird schließlich eine Basis in der sprachlichen Produktion finden, insofern diese der materiellen Produktion homolog ist. An Linguisten gewandt, würde ich sagen, daß die von mir beschriebene geistige Operation komplementär gegenüber der nunmehr sehr verbreiteten Operation ist, auf nicht-sprachliche Dinge ursprünglich linguistische Methoden anzuwenden. Ein Beispiel für die beiden Richtungen ist die Möglichkeit, sowohl *Waren* als Nachrichten wie *Nachrichten als Waren* zu interpretieren: Im ersten Fall wenden wir linguistische Instrumentarien außerhalb des Feldes sprachlicher Kommunikation an; im zweiten verwenden wir für die Analyse verbaler Sprache Instrumente, die zur Analyse materieller Produktion entwickelt wurden. Wenn die Homologie zwischen den beiden Formen der Produktion hält, stellen sich diese Anwendungen als Konsequenzen viel allgemeinerer Prinzipien dar.

Einige wesentliche Vorbemerkungen, um die Homologie zwischen sprachlicher und materieller Produktion nicht falsch zu verstehen, werden im folgenden aufgeführt. (1) Niemand beabsichtigt, die Existenz von Sprachen als relativ neutrale Aggregate von Instrumenten und Materialien (und von sprachlichem 'Geld', wie wir sehen werden) zu verneinen; als solche können sie *auch* analysiert werden, in ihren relativ objektiven Strukturen und in ihrer Funktion. Wesentlich dabei ist aber, daß auf eben diese Weise die materiellen Maschinen mit ihren Funktionen und Strukturen bestehen und daß wir uns alle auf dieselbe Weise in unserem täglichen Leben materieller Artefakte bedienen, ebenso auch sehr komplexer Maschinen und des Geldes. Der gemeine Gebrauch der Sprache entspricht der Benutzung all jener Objekte, die uns innerhalb der Gesellschaft umgeben, in die wir hineingeboren wurden und in der wir leben. (2) Es ist nicht diese oder jene Fabrik, dieses oder jenes Industrieunternehmen, das mit der sprachlichen Produktion verglichen wird, sondern vielmehr die gesamte nichtsprachliche Produktion einer Gemeinschaft, die in ihrer initialen und konstituierenden Phase betrachtet wird. (3) Außerdem ist es klar, daß man sich der Produkte auch zu anderen Zwecken als der Arbeit bedienen kann. Wir können Wörter aus Freude an ihrem Klang gebrauchen, ohne ein anderes Bedürfnis zu befriedigen, als das in der Freude selbst erkennbare, ebenso wie man mit verschiedenen Objekten spielen kann und aus dieser Verwendung ein Vergnügen gewinnen kann, welches mit der Produktion als solcher nichts zu tun hat. Aber die Produktion muß von den anderen Dingen, die man mit den produzierten Objekten machen kann, unterschieden werden. Die Basis liegt in der Produktion. Wenn keine Gegenstände produziert würden, gäbe es nichts, was in produktiver oder unproduktiver Weise verwendet werden könnte, und dies gilt auch für die Sprache. (4) Schließlich sprechen wir auf der Ebene von Modellen, nicht auf jener von Exemplaren, von so etwas wie Schuhen und Hämmern *im allgemeinen,* (von der Tatsache, daß Schuhe und Hämmer existieren) oder von diesem oder jenem Satz *im allgemeinen* (von der Tatsache, daß dieser oder jener Satztypus existiert), nicht von den augenblicklich von mir getragenen Schuhen oder davon, daß ich, *hic et nunc,* einen bestimmten Satz formuliere. Diese und andere ähnliche Beobachtungen können oder sollten als erwiesen angesehen werden: Ob im Fall der sprachlichen oder der materiellen Produktion, beziehen sie sich auf die Voraussetzungen der zu untersuchenden Prozesse, jener Prozesse, die zur Entfremdung führen. Auch wenn wir sagen, daß sprachliche Ausbeutung der sprachlichen Produktion folgt wie die wirtschaftliche Ausbeutung aus der ökonomischen Produktion folgt, so behaupten wir nochmals, fast tautologisch, daß eine Gesellschaft nicht ohne diese beiden Formen der Produktion bestehen kann. [...]"

2. Sprache und Ideologie

In der skizzierten dialektischen Einheit von Sprache und praktischem, in der gesellschaftlichen Praxis verwurzeltem Bewußtsein ist ausgedrückt, daß Sprache und Gedanken (Ideenformationen) in einem aus der geschichtlich-konkreten Wirklichkeit hervorgehenden und auf sie zurückweisenden wechselseitigen Bedingungsverhältnis stehen.

Die Sprache (als praktisches Bewußtsein) und die von ihr aufgefaßten und zugleich mit ausgebildeten Gedankenformationen sind folglich ein Mittel, sich der geschichtlich-konkreten Realität zu versichern, sie zu erkennen, d. h. in Begriffen und Erkenntnissen einzufangen, um damit in sie eingreifen zu können. Als das gesellschaftliche Bewußtsein ist die Sprache eben nicht nur ein (wie immer im Überbau aufscheinender) mechanistischer Reflex der Sphäre der Produktion und der gesellschaftlichen Verhältnisse, sondern zugleich und entscheidend auch ein Organon der Praxis, das seinerseits, unter bestimmten Bedingungen, produktiv und 'schöpferisch' in die Basis einzugreifen vermag.

Wenn die Sprache und die von ihr ausgebildeten Ideenformationen als ein Mittel ausgemacht worden sind, sich der geschichtlich-konkreten Prozesse zu versichern, so muß nun allerdings auch ihre andere und dialektische Möglichkeit bedacht werden: nämlich sich abzudichten und abzusperren gegen diese realen Prozesse und sie damit in scheinhaften und täuschenden Vorstellungen zu verklären, zu verschleiern, zu vernebeln.

An diesem Punkt nun stellt sich die Frage der Ideologie. (Es liegt nicht in der Absicht dieser Überlegungen, sich in eine ausführliche Diskussion des Ideologie-Begriffs einzulassen. Vielmehr sollen nur einige für den vorliegenden Problemzusammenhang wichtige Abgrenzungen vorgenommen werden.)

Marx selbst hat diesen Begriff zum Teil sehr ambivalent gefaßt. Geht man davon aus, daß in dem immer wieder zitierten Vorwort zur ,Kritik der politischen Ökonomie' alle Überbau-Phänomene (die „juristischen, politischen, religiösen, künstlerischen oder philosophischen" Formen) als „ideologische Formen" [43] bezeichnet werden, so finden sich in der ,Deutschen Ideologie' [44] Hinweise auf den Doppelcharakter dieser ideologischen Formen.

Zum einen sind die Ideologien (und das entspricht der oben genannten 'anderen' Möglichkeit der Sprache und des Bewußtseins) scheinhafte, täuschende und apologetische Darstellung der Wirklichkeit und der Geschichte, deren Entstellung, Vernebelung und falsche (affirmative) Umsetzung. Da sie aber zugleich von der Wirklichkeit und der gesellschaftlichen Praxis ausgehen, können sie, sobald sie an ihre objektiven Voraussetzungen zurückgebunden werden, auf der anderen Seite nicht vollkommen falsch und trügerisch sein. Sie führen, unter bestimmten Umständen, nicht nur reale, sondern auch in ihrer möglichen Konkretheit verankerte utopisch-kritische Prozeß-Momente mit sich, die es in der Analyse freizusetzen gilt. Damit hören die Ideologien allerdings auf, im genauen Sinne ideologisch, d. h. nur falsches Bewußtsein, zu sein. An ihre Stelle tritt, verkürzt gesagt, die historisch-konkrete und kritische Utopie. Daß beide Bereiche, ideologische und utopische Momente, einander durchdringen können, ergibt sich aus dem Vorigen.

„In der Geschichte der Ideologien verquicken sich die irrigen und scheinhaften Vorstellungen bisweilen untrennbar mit den Begriffen — das heißt mit Erkenntnissen —, die sie mit sich führen, die sie verdecken, ersticken oder im Gegenteil ans Tageslicht befördern. Das Aussondern der ideologischen Elemente geschieht nachträglich, langsam, mit Hilfe kritischen, mehr oder weniger radikalen Denkens." [45]

V. Die Literatur zwischen Ideologie (Apologetik) und Utopie (Kritik)

Was bisher von der Sprache als gesellschaftlichem (praktischem und wirklichem) Bewußtsein und den von ihr aufgebauten Ideenformationen und -gebilden gesagt worden ist, läßt sich perspektivisch, im Wissen allerdings um die damit zunächst verbundene begriffliche Verkürzung, auch auf die Literatur ausdehnen. Auch sie facettiert sich gleichsam, sobald sie unter historisch-gesellschaftlichen Bedingungen gesehen wird, in apologetische und kritische Momente. (Dabei ist zu bedenken, was sich an späterer Stelle und vor allem in der

(43) Marx: Vorwort zur Kritik der Politischen Ökonomie. MEW, Berlin 1961, Band 13, S. 9.
(44) Anm. 43, insbesondere S. 17—77 („Gegensatz von materialistischer und idealistischer Anschauung").
(45) Lefèbvre (Anm. 20), S. 140.

Modell-Analyse zeigen wird: daß nämlich die beiden Momente auch und gerade in dem, was die Literatur selbst ausmacht, herausgebildet und erkennbar werden: in ihrer ästhetischen Strukturierung.) In dieser Hinsicht ergibt sich auch für die Literatur die doppelte Möglichkeit: entweder ein Gebilde zu sein, das den objektiven Geschichtsprozeß ideologisch verklärt, vernebelt und im Bestehenden apologetisch stillstellt, ihn aber auch, was auf das gleiche hinauskommt, überhaupt ausblendet (wobei, im Blick auf die Literaturanalyse, nicht vergessen werden sollte, daß die Ausblendung selbst immer auch ein Indiz für die ausgeblendete Wirklichkeit darstellt) — oder aber ein Gebilde, das den Geschichtsprozeß, utopisch-kritisch in ihn eingreifend, als Bewegungstendenz aufhellt und in sich aufnimmt.

Im einen Fall verfestigt und verschließt sich das literarische Gebilde unter Umständen zum „Dogma" [46], das sich absperrt gegen Erkenntnis; im andern Fall wird in ihm, als einem Modell der Wirklichkeit, das seine Signatur im Unabgeschlossenen hat, ästhetisch das gegenständlich, was, „minus ideologische Lüge, plus konkrete Utopie", als „objektive Antizipation" oder „ästhetischer Vor-Schein", als „exakte Phantasie" [47], „konkrete Vision" und „Kritik der Phantasie" [48] (d. h. Kritik durch Phantasie) bezeichnet wird. Die solchermaßen im literarischen Gebilde aufgehobenen Möglichkeiten, auf die später noch ausführlich eingegangen wird, wieder freizusetzen, ist eine der Aufgaben und eines der Ziele des literaturanalytischen Prozesses.

In dieser Perspektive erscheint die Literatur, analog zur Sprache, als eine wirkliche und praktische, d. h. historisch-gesellschaftliche ästhetische Bewußtseinsform: als Produkt zugleich und Organon der Praxis. Ästhetische Erkenntnis, die in den literarischen Gebilden gegenständlich geworden ist und analytisch wieder aufgegriffen werden kann, enthält demnach historisch-gesellschaftliche Erkenntnis. Und ästhetisches Lernen ermöglicht das Kennenlernen der Wirklichkeit und ihrer Widersprüche. (Aus diesem Zusammenhang läßt sich dann auch ein didaktisches Konzept der historisch-kritischen Literaturanalyse ableiten.)

An dieser Stelle muß noch einmal, im Hinblick auch auf alle nachfolgenden Untersuchungen, zweierlei betont werden:

1. Die Trennung von ideologisch-scheinhaften bzw. apologetischen und konkret-utopischen bzw. kritischen Momenten der Literatur ist in dieser rigiden Form eigentlich nur heuristisch möglich; in den literarischen Gebilden selbst finden sich häufig genug Übergänge und Vermischungen (mit unterschiedlichen Akzentuierungen natürlich) wie auch widerspruchsvolle Verbindungen der beiden Bereiche. Sie ausfindig zu machen (nicht zuletzt in der ästhetischen Struktur und Organisation der Werke) und jeweils aus ihren historischen Bedingun-

(46) Fischer, Ernst: Kunst und Koexistenz. Hamburg 1966, S. 210.
(47) Bloch, Ernst: Über Gegenwart in der Dichtung, S. 155, und: Marxismus und Dichtung, S. 135—143. Beides in: Literarische Aufsätze (Anm. 9).
(48) Ernst Fischer (Anm. 46), S. 182, 184.

gen zu erklären, ist eine weitere Aufgabe der analytischen Arbeit. Gerade an diesen Widersprüchen und Bruchstellen eines Werkes wie auch einer ganzen Epoche, die deren tiefere ästhetische Formation erkennen lassen, vermag die Analyse kritisch anzusetzen.

Zudem liegen, nach Benjamin [49], die „jedem Kunstwerk, jeder Kunstepoche" wie immer einwohnenden „politischen Tendenzen" überhaupt „nur an den Bruchstellen der Kunstgeschichte (und der Werke) frei vor Augen". Entscheidend ist in diesem Zusammenhang, daß die politische (gesellschaftliche) Tendenz eines literarischen Werks (oder einer Epoche) sich nicht im expliziten Sujet, in der lose angehefteten „Kokarde des Themas" [50] ausdrückt, sondern selbst eine künstlerische Formation darstellt, daß sie folglich untrennbar verbunden ist mit der literarischen Technik: den literarisch-technischen Mitteln, die jeweils, als Mittel der Formation und Organisation des Werks, in einem historisch bestimmten Entwicklungsstand der ästhetischen Progression ausgebildet werden. Die politisch-gesellschaftliche Tendenz, soll sie nicht überhaupt folgenlos bleiben, aktualisiert sich demnach künstlerisch zureichend immer erst in einer bestimmten literarischen Technik als in ihrem historisch gegebenen Medium. „Die technischen Revolutionen — das sind die Bruchstellen der Kunstentwicklung, an denen die Tendenzen je und je, freiliegend sozusagen, zum Vorschein kommen. In jeder neuen technischen Revolution wird die Tendenz aus einem sehr verborgenen Element der Kunst wie von selber zum manifesten." [51]

In dieser Beziehung werden die das Bestehende transzendierenden utopisch-kritischen Momente manifest in ästhetisch neuen und revolutionären Elementen der literarischen Technik. Diese Elemente, die aus den Umwälzungen des ästhetischen Geschichtsprozesses hervorgetrieben werden, sollten indessen weder vom Autor noch vom Leser als beliebig verfügbar und montierbar aufgefaßt werden. Vielmehr kommt es darauf an, sie immer in genauer und konkreter Bindung und Anmessung an den Tendenz-Zweck einzusetzen.

Die analytische Arbeit wird sich, wie gesagt, auch darauf auszurichten haben: Sie muß diese Elemente an den Bruchstellen aufsuchen, freilegen und gegebenenfalls aus dem literarischen Gebilde als Erkenntnismittel für das Bewußtsein der Gegenwart heraussprengen. Man kann dafür auch den von Benjamin eingeführten Begriff der „prismatischen Arbeit" [52] verwenden.

Analog zur Tätigkeit des „destruktiven" Bewußtseins [53] läßt sich diese produktive (auf Erkenntnis und Aufklärung zielende) methodische Arbeit als Destruktion des ästhetischen Gebildes (Text-Destruktion) bestimmen. Sie hat ihren Zweck darin, die widerspruchsvollen geschichtlichen Spuren der gesell-

(49) Erwiderung an Oscar A. H. Schmitz (Anm. 5), S. 62.
(50) Tretjakov, Sergej: Beurteilung der künstlerischen Gestaltung des 10. Oktober-Jubiläums. In: Die Arbeit des Schriftstellers. dnb 3, Hamburg 1972, S. 49.
(51) Benjamin (Anm. 5), S. 62.
(52) Benjamin (Anm. 5), S. 63.
(53) Vgl. Anm. 5.

schaftlichen Ideologie und Utopie, die für das kritische Bewußtsein der Gegenwart, die „Produktivkraft des kritischen Impulses" [54] nützlich sind, aus den Texten zu rekonstruieren und verwertbar zu machen. Diese ideologiekritische Verwertung zielt letzten Endes auf „Versuche zur Emanzipation", d. h. auf Versuche, „utopische Gehalte der kulturellen Überlieferung zu realisieren".[55] „Eine Aufwertung des ideologiekritisch entwerteten Geistes scheint derart möglich, ja schon wirklich zu sein, daß die Hinterlassenschaft des absoluten Geistes (in seinen utopischen Gehalten) angeeignet und als Kritik (zur Demonstration des Unversöhnten in seiner Unversöhnlichkeit) fortgeführt werden kann." [56]

Allerdings darf an dieser Stelle die zuletzt von Negt und Kluge problematisierte Frage nicht ausgeschaltet werden, inwieweit die fortgeschrittenen und utopischen Gehalte der künstlerischen Artikulation überhaupt einen Adressaten finden und vom Entwicklungsstand der allgemeinen gesellschaftlichen Erfahrung, der Erfahrung der Massen rezipiert werden können. Negt und Kluge [57] beziehen sich auf „die ungleichmäßige Entwicklung der Produktivkräfte der Gefühle, Wahrnehmungen, Illusionen [der Massen. D. St.] und der Produktivkraft der Intelligenz. Diese Faktoren haben unterschiedliche geschichtliche Bewegungsgeschwindigkeiten und auch unterschiedliche Richtungen der Entwicklung. Marx spricht von dem ‚unegalen Verhältnis der Entwicklung der materiellen Produktion, zum Beispiel zur künstlerischen. Überhaupt ist der Begriff des Fortschritts nicht in der gewöhnlichen Abstraktion zu fassen.'

Die authentischen künstlerischen und wissenschaftlichen Ausdrucksformen — die nur teilweise über die Warenproduktion determiniert sind — haben auf den verschiedenen Entfaltungsstufen der bürgerlichen Gesellschaft immer wieder gesellschaftliche Erfahrungsgehalte in Werken zu vergegenständlichen versucht. Sie besitzen einen organisatorischen Vorsprung vor der Entwicklung der Erfahrungen der Massen, wie sie andererseits auch den Stand der gesellschaftlichen Produktivkräfte und Produktionsverhältnisse in ihren Werken transzendieren. Diese authentische Kunst bleibt jedoch weitgehend ohne Adressaten; teilweise korrespondiert sie mit kleinen gebildeten Schichten, mit avancierter Kritik. Während sie produziert, können die eigentlichen Produzenten gesellschaftlicher Erfahrung, die Massen, nicht selbsttätig antworten. Es entsteht hier ein Stand an Differenzierung und Organisationsfähigkeit gegenüber gesellschaftlicher Erfahrung, auf den sich keine gesamtgesellschaftliche Kooperation gründen kann. So verwundert es nicht, daß in dieser Situation die progressivsten Artikulationsformen von gesellschaftlicher Erfahrung, gleichgültig, ob sie künstlerische oder wissenschaftliche sind, ihrerseits Deformationen unterliegen, daß sie immer nur Entwürfe, Neuanfänge setzen können.

(54) Habermas: Theorie und Praxis. st 9, Frankfurt 1971, S. 268.
(55) Habermas: Einleitung zur Neuausgabe von ‚Theorie und Praxis' (Einige Schwierigkeiten beim Versuch, Theorie und Praxis zu vermitteln). st 9, Frankfurt 1971, S. 42.
(56) Habermas (Anm. 54), S. 270.
(57) Negt, Oskar/Kluge, Alexander: Öffentlichkeit und Erfahrung — Zur Organisationsanalyse von bürgerlicher und proletarischer Öffentlichkeit. edition suhrkamp 639, Frankfurt 1972, S. 290—292.

Die Bewußtseinsindustrie kann diese Form der Intelligenztätigkeit nicht unmittelbar einsetzen. Gerade die fortgeschrittene Objektivation trennt die Werke der Intelligenz von der unorganisiert verharrenden Erfahrungsmöglichkeit der Massen. Die Bewußtseinsindustrie versucht deshalb, Teile der Intelligenz ihren spezifischen Anforderungen zu subsumieren; sie bildet Spezialisten aus für den Umgang mit Phantasieproduktion und Erfahrung der Massen auf dem Niveau der Organisation, auf dem sie stehen.

Der Ausdruck der Bedürfnisse, Wahrnehmungen und Gefühle der Massen ist historisch bisweilen hinter den Stand der Produktivkräfte der Gesamtgesellschaft, der Bewußtseinsindustrie und der authentischen Intelligenzproduktion zurückgefallen [...]. Die authentische Intelligenz-Produktion, insbesondere die der Kunst, der Literatur, der Musik, versucht, verschüttete mimetische Erfahrung zu aktualisieren, sie bekämpft sowohl das Ausruhen in der Regression wie die Vormundschaft der technischen Rationalität. Sie versucht — mit geringfügiger ökonomischer Ausstattung — 'das Material', die künstlerischen Gegenstände, mit denen sie es zu tun hat, zu emanzipieren; ihre ökonomischen Mittel und ihre Kommunikationsformen reichen allerdings nicht aus, um in ähnlicher Weise die Beziehungen der Menschen zu diesem künstlerischen Material oder die Beziehungen der Menschen untereinander nennenswert zu verändern."

Geht man von dem letzten Sachverhalt aus, so muß danach getrachtet werden, daß die Progression des künstlerischen Materials, d. h. die in seiner Bearbeitung und Organisation angelegte Möglichkeit der Fortentwicklung und Transzendierung der jeweils herrschenden künstlerischen Produktionsmittel, immer auch korreliert mit den entsprechenden ökonomischen Mitteln und den entsprechenden Kommunikationsformen.

2. Das Vermitteltsein der literarischen Gebilde mit der Sphäre der gesellschaftlichen Produktion und der durch sie bestimmten sozialen Beziehungen (Produktionsverhältnisse) darf, wie gesagt, nicht in einem kausal-mechanistischen, linearen und punktuellen Ableitungsverhältnis (Reflextheorie etc.) angenommen werden. Vielmehr ist die Struktur der Vermittlung nur analysierbar unter dem Gesichtspunkt der Totalität (des historisch-gesellschaftlichen Gesamtprozesses) und der dialektischen „Disproportion", d. h. des „unegalen Verhältnisses der Entwicklung der materiellen Produktion, z. B. zur künstlerischen".[58]

Einige Hinweise von Lukács aus ‚Geschichte und Klassenbewußtsein' sollen diesen Zusammenhang noch einmal verdeutlichen. Sie richten sich, unter anderem, auch auf die Voraussetzungen der von Marx gestellten (aber nicht eingelösten) Aufgabe, „eine systematische Ästhetik auf dialektisch-materialistischer Grundlage aufzubauen", und damit auf die „Anwendung der Dialektik auf die Abbildtheorie".[59]

---

(58) Marx (Anm. 17).
(59) Lukács: Neues Vorwort zu ‚Geschichte und Klassenbewußtsein' (von 1967). Studien über marxistische Dialektik. Sammlung Luchterhand 11. Neuwied 1970.

Der methodische Grundsatz zur Analyse der Vermittlungsstruktur besteht demnach darin, anstelle der „Denk- und Empfindungsgewohnheiten der bloßen Unmittelbarkeit" ein „Begriffssystem der Vermittlungen" auszubilden und anzuwenden (S. 274/75).

Erst wenn die „methodische Priorität der 'Tatsachen' gebrochen ist, wenn das Prozeßartige eines jeden Phänomens erkannt wurde, kann es verständlich werden, daß auch das, was man 'Tatsachen' zu nennen pflegt, aus Prozessen besteht. Dann erst wird es verständlich, daß die Tatsachen eben nichts anderes sind als Teile, losgelöste, künstlich isolierte und in Erstarrung gebrachte Momente des Gesamtprozesses" (S. 319). Danach zeigt sich, daß die methodische Einfügung des Einzelphänomens „in die Totalität (deren Voraussetzung die Annahme ist, daß die eigentliche geschichtliche Wirklichkeit eben das Ganze des Geschichtsprozesses ist) nicht nur unser Urteil über das einzelne Phänomen entscheidend ändert, sondern daß dadurch die gegenständliche Struktur, die inhaltliche Beschaffenheit des Einzelphänomens — als Einzelphänomen — eine grundlegende Änderung erfährt" (S. 272).

„Das bedeutet nun für die Abbildtheorie, daß sich das Denken, das Bewußtsein zwar an der Wirklichkeit zu orientieren hat, daß das Kriterium der Wahrheit in dem Auftreffen auf die Wirklichkeit besteht. Jedoch diese Wirklichkeit ist mit dem empirisch-faktischen Sein keineswegs identisch. Diese Wirklichkeit ist nicht, sie wird" (S. 347).

„Denken und Sein sind also nicht in dem Sinne identisch, daß sie einander 'entsprechen', einander 'abbilden', daß sie miteinander 'parallel laufen' oder 'zusammenfallen' (alle diese Ausdrücke sind nur versteckte Formen einer starren Dualität), sondern ihre Identität besteht darin, daß sie Momente eines und desselben real-geschichtlichen dialektischen Prozesses sind" (S. 349).

Die Struktur der Vermittlung kann demnach methodisch-analytisch nicht etwa dadurch bestimmt werden, daß man zu dem ästhetischen Einzelphänomen parallel laufende und punktuell zuweisbare Basis-Faktoren und Äquivalente der Produktionssphäre ausfindig macht. Vielmehr geht es darum, die literarischen Gebilde als prozeßhafte Momente aus der historisch-gesellschaftlichen Totalität zu erklären. Das erfordert methodisch, die gerade der Analyse unterworfenen Phänomene und Elemente der Ästhetik zunächst in ihren ästhetischen Geschichtsprozeß als den größeren bewegenden Zusammenhang zurückzuversetzen und sie darin zu bestimmen. Danach gilt es, diesen größeren ästhetischen Zusammenhang (der sich unter Umständen auf eine ganze Epoche erstrecken kann) seinerseits in den sozialen Geschichtsprozeß zurückzuführen und daraus dann auch einen Begründungsmodus für das Einzelphänomen zu entwickeln.

VI. Das Verhältnis zwischen literarischer Tendenz und literarischer Technik

1. Tendenz und Realismus

Als Ausgangspunkt für die Untersuchung des Verhältnisses zwischen literarischer Tendenz und literarischer Technik sind zunächst zwei Texte von Engels über den Zusammenhang zwischen Tendenz und Realismus dienlich:

„Ich bin keineswegs Gegner der Tendenzpoesie als solcher. Der Vater der Tragödie, Äschylus, und der Vater der Komödie, Aristophanes, waren beide starke Tendenzpoeten, nicht minder Dante und Cervantes, und es ist das Beste an Schillers ‚Kabale und Liebe‘, daß sie das erste deutsche politische Tendenzdrama ist. Die modernen Russen und Norweger, die ausgezeichnete Romane liefern, sind alle Tendenzdichter. Aber ich meine, die Tendenz muß aus der Situation und Handlung selbst hervorspringen, ohne daß ausdrücklich darauf hingewiesen wird [...]" (Brief an Minna Kautsky vom 26. 11. 1885).

„Wenn ich etwas zu kritisieren habe, so ist es dies, daß die Erzählung vielleicht doch nicht realistisch genug ist. Realismus bedeutet, meines Erachtens, außer der Treue des Details die getreue Wiedergabe typischer Charaktere unter typischen Umständen [...]. Ich bin weit davon entfernt, darin einen Fehler zu sehen, daß Sie nicht einen waschechten sozialistischen Roman geschrieben haben, einen Tendenzroman, wie wir Deutschen es nennen, um die sozialen und politischen Anschauungen des Autors zu verherrlichen. Das habe ich keineswegs gemeint. Je mehr die Ansichten des Autors verborgen bleiben, desto besser für das Kunstwerk. Der Realismus, von dem ich spreche, kann sogar trotz den Ansichten des Autors in Erscheinung treten" (Brief an Miss Harkness vom Anfang April 1888).[60]

In der Brecht-Lukács-Debatte wird die Realismus-Problematik dann ausführlich erörtert. Im Kontext dieser Auseinandersetzung wird der Realismustheorie Lukács' der (nicht immer begründete) Vorwurf gemacht, daß sie ihren historisch-gesellschaftlichen (dialektisch-materialistischen) Ansatz in Derivate der klassisch-idealistischen Ästhetik wie Typisierung, Ganzheit, Kohärenz, geschlossene und organische Form einsperre, sich im wesentlichen von den Mustern des bürgerlichen kritischen Realismus (Goethe, Balzac, Tolstoi) ableite und sich auf deren Weiterführung (Thomas Mann z. B.) ausrichte.

---

(60) Marxismus und Literatur (Hrsg. F. J. Raddatz). Rowohlt, Hamburg 1969. Band I, S. 155—159. — Vgl. dazu u. a. die Brecht-Lukács-Auseinandersetzung, die sich aus dem Kontext der Expressionismus-Diskussion (1934—38) entwickelt hat und deren zentraler Kontroverspunkt das Problem des Realismus war: Lukács: Es geht um den Realismus, und: Tendenz oder Parteilichkeit. Werke, 4. Band (Probleme des Realismus I). Neuwied und Berlin 1970. Brecht: Die Essays von Georg Lukács; Über den formalistischen Charakter der Realismustheorie; Volkstümlichkeit und Realismus. Schriften zur Literatur und Kunst II. Frankfurt 1967. — Mittenzwei, W.: Marxismus und Realismus. Die Brecht-Lukács-Debatte. In: Sinn und Form, Februar 1967, und: Das Argument, März 1968. — Gallas, H.: Marxistische Literaturtheorie. Sammlung Luchterhand 19. Neuwied und Berlin 1971. — Brüggemann, Heinz: Literarische Technik und soziale Revolution. Versuche über das Verhältnis von Kunstproduktion, Marxismus und literarischer Tradition in den theoretischen Schriften Bertolt Brechts. Hamburg 1973.

Demgegenüber bestimmt sich der Realismusbegriff Brechts nicht als ein feststehend formaler und damit stillgestellter, sondern als ein dialektisch-prozeßhafter Begriff. Er hat sich demnach entsprechend der in Bewegung befindlichen und sich verändernden Wirklichkeit und damit entsprechend den neuen gesellschaftlichen Zwecken und Tendenzen jeweils neu zu konstituieren. Die in ihm aufgehobene dialektische Methode des Denkens und Schreibens richtet sich folglich auf eine der veränderten Wirklichkeit angemessene literarische Technik und auf neuartige künstlerische Mittel, die den neuen gesellschaftlichen Zwecken dienlich sind. In dem Zusammenhang von Mittel und Zweck (von Technik und Tendenz) müssen die Mittel deshalb grundsätzlich nach ihrem Zweck befragt und beurteilt werden.

2. Literarische Tendenz und literarische Technik

Die Konzeption Brechts trifft sich mit Benjamins Bestimmung des Verhältnisses zwischen literarischer Tendenz und literarischer Technik:

„Der Autor als Produzent

Sie erinnern sich, wie Platon im Entwurf seines Staats mit den Dichtern verfährt. Er versagt ihnen im Interesse des Gemeinwesens den Aufenthalt drinnen. Er hatte einen hohen Begriff von der Macht der Dichtung. Aber er hielt sie für schädlich, für überflüssig — in einem *vollendeten* Gemeinwesen, wohlverstanden. Die Frage nach dem Existenzrecht des Dichters ist seitdem nicht oft mit dem gleichen Nachdruck gestellt worden; heut aber stellt sie sich. Sie stellt sich wohl nur selten in dieser *Form.* Aber Ihnen allen ist sie mehr oder weniger geläufig als die Frage nach der Autonomie des Dichters: seiner Freiheit zu dichten, was er eben wolle. Sie sind nicht geneigt, ihm diese Autonomie zuzubilligen. Sie glauben, daß die gegenwärtige gesellschaftliche Lage ihn zur Entscheidung nötigt, in wessen Dienste er seine Aktivität stellen will. Der bürgerliche Unterhaltungsschriftsteller erkennt diese Alternative nicht an. Sie weisen ihm nach, daß er, ohne es zuzugeben, im Dienste bestimmter Klasseninteressen arbeitet. Ein fortgeschrittenerer Typus des Schriftstellers erkennt diese Alternative an. Seine Entscheidung erfolgt auf der Grundlage des Klassenkampfes, indem er sich auf die Seite des Proletariats stellt. Da ist's denn nun mit seiner Autonomie aus. Er richtet seine Tätigkeit nach dem, was für das Proletariat im Klassenkampf nützlich ist. Man pflegt zu sagen, er verfolgt eine *Tendenz.*

Da haben Sie das Stichwort, um das herum seit langem sich eine Debatte bewegt, die Ihnen vertraut ist. Sie ist Ihnen vertraut, darum wissen Sie auch, wie unfruchtbar sie verlaufen ist. Sie ist nämlich nicht von dem langweiligen Einerseits-Andererseits losgekommen: *einerseits* hat man von der Leistung des Dichters die richtige Tendenz zu verlangen, *andererseits* ist man berechtigt, von dieser Leistung Qualität zu erwarten. Diese Formel ist natürlich so lange unbefriedigend, als man nicht *einsieht,* welcher Zusammenhang zwischen den beiden Faktoren Tendenz und Qualität eigentlich besteht. Natürlich kann man den Zusammenhang dekretieren. Man kann erklären: ein Werk, das die richtige Tendenz aufweist, braucht keine weitere Qualität aufzuweisen. Man kann auch dekretieren: ein Werk, das die richtige Tendenz aufweist, muß notwendig jede sonstige Qualität aufweisen.

Diese zweite Formulierung ist nicht uninteressant, mehr: sie ist richtig. Ich mache sie mir zu eigen. Indem ich das aber tue, lehne ich es ab, sie zu dekretieren. Diese Behauptung muß *bewiesen* werden. Und es ist der Versuch dieses Beweises, für den ich Ihre

Aufmerksamkeit in Anspruch nehme. — Das ist, werden Sie vielleicht einwenden, ein recht spezielles, ja ein entlegenes Thema. Und wollen Sie mit einem solchen Beweis das Studium des Faschismus befördern? — Das habe ich in der Tat vor. Denn ich hoffe, Ihnen zeigen zu können, daß der Begriff der Tendenz in der summarischen Form, in der er in der soeben erwähnten Debatte sich meistens findet, ein vollkommen untaugliches Instrument der politischen Literaturkritik ist. Zeigen möchte ich Ihnen, daß die Tendenz einer Dichtung politisch nur stimmen kann, wenn sie auch literarisch stimmt. Das heißt, daß die politisch richtige Tendenz eine literarische Tendenz einschließt. Und, um das gleich hinzuzufügen: diese literarische Tendenz, die implicit oder explicit in jeder *richtigen* politischen Tendenz enthalten ist — die und nichts anderes macht die Qualität des Werks. *Darum* also schließt die richtige politische Tendenz eines Werkes seine literarische Qualität ein, weil sie seine literarische *Tendenz* einschließt.

Diese Behauptung, das hoffe ich, Ihnen versprechen zu dürfen, wird in Bälde deutlicher werden. Für den Augenblick schalte ich ein, daß ich für meine Betrachtung auch einen anderen Ausgangspunkt wählen konnte. Ich ging aus von der unfruchtbaren Debatte, in welchem Verhältnis Tendenz und Qualität der Dichtung stehen. Ich hätte von einer noch älteren aber nicht weniger unfruchtbaren Debatte ausgehen können: in welchem Verhältnis stehen Form und Inhalt, und zwar insbesondere in der politischen Dichtung. Diese Fragestellung ist verschrien; mit Recht. Sie gilt als Schulfall für den Versuch, undialektisch mit Schablonen an literarische Zusammenhänge heranzutreten. Gut. Aber wie sieht denn nun die dialektische Behandlung der gleichen Frage aus?

Die dialektische Behandlung dieser Frage, und damit komme ich zur Sache selbst, kann mit dem starren isolierten Dinge: Werk, Roman, Buch, überhaupt nichts anfangen. Sie muß es in die lebendigen gesellschaftlichen Zusammenhänge einstellen. Mit Recht erklären Sie, daß man das zu immer wiederholten Malen im Kreise unserer Freunde unternommen hat. Gewiß. Nur ist man dabei oft sogleich ins Große und damit notwendigerweise auch oft ins Vage gegangen. Gesellschaftliche Verhältnisse sind, wie wir wissen, bedingt durch Produktivverhältnisse. Und wenn die materialistische Kritik an ein Werk heranging, so pflegte sie zu fragen, wie dies Werk zu den gesellschaftlichen Produktivverhältnissen der Epoche steht. Das ist eine wichtige Frage. Aber auch eine sehr schwierige. Ihre Beantwortung ist nicht immer unmißverständlich. Und ich möchte Ihnen nun eine näherliegende Frage vorschlagen. Eine Frage, die etwas bescheidener ist, etwas kürzer zielt, aber wie mir scheint, der Antwort mehr Chancen bietet. Anstatt nämlich zu fragen: wie steht ein Werk zu den Produktionsverhältnissen der Epoche? ist es mit ihnen einverstanden, ist es reaktionär oder strebt es ihre Umwälzung an, ist es revolutionär? — anstelle dieser Frage oder jedenfalls vor dieser Frage möchte ich eine andere Ihnen vorschlagen. Also ehe ich frage: wie steht eine Dichtung *zu* den Produktionsverhältnissen der Epoche? möchte ich fragen: wie steht sie *in* ihnen? Diese Frage zielt unmittelbar auf die Funktion, die das Werk innerhalb der schriftstellerischen Produktionsverhältnisse einer Zeit hat. Sie zielt mit anderen Worten unmittelbar auf die schriftstellerische *Technik* der Werke.

Mit dem Begriff der Technik habe ich denjenigen Begriff genannt, der die literarischen Produkte einer unmittelbaren gesellschaftlichen, damit einer materialistischen Analyse zugänglich macht. Zugleich stellt der Begriff der Technik den dialektischen Ansatzpunkt dar, von dem aus der unfruchtbare Gegensatz von Form und Inhalt zu überwinden ist. Und weiterhin enthält dieser Begriff der Technik die Anweisung zur richtigen Bestimmung des Verhältnisses von Tendenz und Qualität, nach welchem wir am Anfang gefragt haben. Wenn wir also vorhin formulieren durften, daß die richtige politische Tendenz eines Werks seine literarische Qualität einschließt, weil sie seine literarische Tendenz einschließt, so bestimmen wir jetzt genauer, diese literarische Tendenz kann in einem Fortschritt oder in einem Rückschritt der literarischen Technik bestehen.[61] [...]"

Dazu bemerkt Benjamin am 4. Juli 1934 in seinen ‚Svendborger Notizen': „Langes Gespräch in Brechts Krankenzimmer in Svendborg, gestern, kreiste um meinen Aufsatz ‚Der Autor als Produzent'. Die darin entwickelte Theorie, ein entscheidendes Kriterium einer revolutionären Funktion der Literatur liege im Maße der technischen Fortschritte, die auf eine Umfunktionierung der Kunstformen und damit der geistigen Produktionsmittel hinauslaufen, wollte Brecht nur für einen einzigen Typus gelten lassen — den des großbürgerlichen Schriftstellers, dem er sich selber zuzählt. ‚Dieser', sagte er, ‚ist in der Tat an einem Punkt mit den Interessen des Proletariats solidarisch: am Punkt der Fortentwicklung seiner Produktionsmittel. Indem er es aber an diesem einen Punkte ist, ist er an diesem Punkt, als Produzent, proletarisiert, und zwar restlos. Diese restlose Proletarisierung an einem Punkt macht ihn aber auf der ganzen Linie mit dem Proletariat solidarisch.' " [62]

Nimmt man beide Texte zusammen, so ergibt sich für die historisch-kritische Sozialtheorie ein weiterführender Gesichtspunkt. Die gesellschaftliche Analyse der Literatur setzt demnach an bei der Frage nach der Stellung des Schriftstellers als eines Produzenten im sozial-ästhetischen Geschichtsprozeß, d. h. nach seiner Stellung im Produktionsprozeß. Seine Stellung im Produktionsprozeß aber bestimmt sich danach, wie die von ihm eingesetzten geistigen Produktionsmittel (Sprache und Kunstformen, literarische Technik und literarische Formen) in den schriftstellerischen Produktionsverhältnissen einer Zeit stehen, d. h., welche Funktion sie innerhalb dieser Verhältnisse haben. Den schriftstellerischen Produktionsverhältnissen gegenüber können die literarischen Produktionsmittel in einem Fortschritt oder in einem Rückschritt der literarischen Technik bestehen. Darin ist die Frage der (progressiven oder regressiven) literarischen Tendenz aufgehoben, die sich folglich auf die Fortentwicklung der Produktionsmittel (die Umfunktionierung der Kunstformen, den Umschmelzungsprozeß literarischer Formen) im Zusammenhang der sich fortentwickelnden Bedingungen der literarischen Produktion (Produktionsverhältnisse) richtet.

Die literarische Tendenz, die in dieser 'dialektischen Behandlung' des Problems identisch wird mit der politisch-gesellschaftlichen Tendenz, entscheidet dann auch über die literarische Qualität eines Werks. Damit wird die Frage der ästhetischen Qualität allerdings jeder absoluten Normsetzung und Klassizität (zeitlose Vorbildlichkeit etc.) entzogen und zu einem beweglichen Moment des Geschichtsprozesses gemacht. Unter diesem Gesichtspunkt sind die neuen literarischen Produktionsmittel zu sehen, die, im Zusammenhang der gesamtgesellschaftlichen Entwicklung, von den Veränderungen in den schriftstellerischen Produktionsverhältnissen und von den dadurch entsprechend umge-

(61) Benjamin: Der Autor als Produzent. In: Versuche über Brecht. edition suhrkamp 172, Frankfurt 1966, S. 95—98.
(62) Benjamin: Gespräche mit Brecht. In: Versuche über Brecht (Anm. 61), S. 117.

wälzten Bedingungen der literarischen Produktion hervorgebracht werden: der technischen Reproduzierbarkeit des Kunstwerks und ihrer Folgen (Massenreproduktion, Wiederholbarkeit, Ausstellbarkeit, Zertrümmerung der Aura etc.), neuen und virtuell revolutionären technischen Medien, neuen Verhältnissen des Austausches der literarischen Produkte und neuen Verteilungsverhältnissen, veränderten Beziehungen zwischen Autor und Publikum, der Transformation des Kunstwerks zur Ware etc. Daraus ergeben sich zugleich „neue Regionen des Bewußtseins" [63] und neue Formen der ästhetischen Wahrnehmung und Rezeption, die ihrerseits wieder auf die Bedingungen der ästhetischen Formation zurückwirken.

3. Das Beispiel der Dokumentar-Literatur: Tendenz- und Prozeß-Analyse oder Isolierung von Fakten

Der Zusammenhang zwischen literarischer Technik und literarischer Tendenz läßt sich unter anderem in einer kritischen Untersuchung der heute vielfach verbreiteten dokumentarischen Literatur und der von ihr angeblich bewirkten Fortentwicklung ('Proletarisierung') und Umfunktionierung der literarischen Produktionsmittel verdeutlichen. Diese Untersuchung wird sich auf die Frage auszurichten haben, ob die Dokumentaristik eine Prozeß-Analyse ins Werk zu setzen vermag oder lediglich zur Isolierung von Fakten führt.

Ihrer eigenen Funktionsbestimmung nach versteht sich die dokumentarische Literatur jedenfalls als parteiliche und operative Zweck-Literatur. Ihre Tendenz richtet sich darauf, in der Dokumentation der Wirklichkeit deren „Informationsgehalt und soziale Wahrheit" freizusetzen, hinter der dokumentarischen „Gestaltung von Einzelschicksalen" auch „die Struktur, das Typische dieser Gesellschaft" sichtbar zu machen, so daß die in der unverstellt abgebildeten (authentischen) Wirklichkeit selbst aufbewahrte „durchschlagende Aussagekraft" den „Willen zur Veränderung" provoziere. [64]

Um die in der Wirklichkeit gegenständliche soziale Wahrheit zu erfassen, genügt es indessen nicht, die punktuellen Fakten und Einzelschicksale, wie authentisch auch immer, abzubilden und auf diese Weise die unteilbare soziale Wahrheit zu departementalisieren. Es kommt vielmehr darauf an, hinter den Fakten die Faktoren und Bewegungsgesetze erkennbar zu machen: „denn die Wahrheit ist nicht Abbildung von Fakten, sondern von Prozessen, sie ist letzthin die Aufzeigung der Tendenz und Latenz dessen, was noch nicht geworden ist und seinen Täter braucht". [65] Auch der Informationsgehalt der dokumentarisch festgestellten Wirklichkeit erweist sich nur dann als Erkenntnismittel, wenn die Information über ein soziales Faktum der historischen Erfahrung des

(63) Benjamin: Erwiderung an Oscar A. H. Schmitz (Anm. 5), S. 62.
(64) Wallraff, G.: Wirkungen der Praxis, in: Akzente Heft 4, München 1970, S. 314, 317, und Wallraff: Einige Erfahrungen mit den Schwierigkeiten beim Veröffentlichen der Wirklichkeit hinter Fabrikmauern. In: Die Tabus der bundesdeutschen Presse. Reihe Hanser 66. München 1971, S. 27.
(65) Bloch: Marxismus und Dichtung (Anm. 9), S. 141.

Lesers ausgesetzt wird, d. h. als eine im historischen Prozeß anhängige Sache und als Vermittlungsmoment der Totalität, der gesamtgesellschaftlichen Entwicklung strukturiert ist. Nur diese Form der Informationsstruktur, die Zustände in Prozesse auflöst und verflüssigt und die festgestellten Fakten nach ihrer prozeßhaft-veränderbaren Seite befragt, läßt eingreifendes Lesen und Denken als Bedingung von Erkenntnis und Aufklärung zu.

Die Eingriffe des Denkens werden vor allem dann möglich, wenn das literarische Gebilde eine „Einteilung, Anordnung, Betrachtungsweise der Welt" vornimmt, die durch „Aufzeigung ihrer umwälzenden Widersprüche" [66] gekennzeichnet ist. Diese Methode der ästhetischen Organisation hat Brecht auch unter dem Begriff der „Veranstaltung soziologischer Experimente" [67] gefaßt. „Das soziologische Experiment ist ein Verfahren, welches gestattet, den 'öffentlichen Zustand' in seiner Entwicklung zu zeigen." Das geschieht dann, wenn „durch geeignete Maßnahmen" der literarischen Technik die in der Praxis auftretenden „weitertreibenden Tendenzen" und „die der Gesellschaft immanenten Widersprüche provoziert und wahrnehmbar gemacht werden".[67] Widersprüche werden sichtbar an Bruchstellen (historisch-gesellschaftlichen wie ästhetischen), an denen sich die tieferen Formationen und Tendenzen freilegen und die sich strukturell als organisierender Eingriff in das Material, als „Unterbrechung der Abläufe" [68] etwa, darstellen. Die konkrete Wirklichkeit selbst ist zwar „zusammenhängend, aber nur als vermittelte Unterbrechung", und der „Prozeß der Wirklichkeit ist als solcher noch offen, folglich objektiv fragmentarisch. Eben aus Gründen des real Möglichen, das die Welt zu keinem ausgeklügelten Buch macht, sondern zum dialektisch vermittelten, also dialektisch offenen Prozeß." [69]

An diesen Unterbrechungen und Bruchstellen, die entschieden jegliche einfühlende und kontemplative wie auch jegliche ideologisch abgeschlossene Rezeption verhindern, kann das eingreifende Lesen und Denken ansetzen. Der Leser wird dadurch zum kritischen Examinator [70] des literarischen Gebildes und des in ihm formierten Prozesses der Wirklichkeit.

Von hier aus wird die Frage, ob die dokumentarische Literatur eine Prozeß-Analyse ins Werk zu setzen (und damit ihre Intention einzulösen) vermag oder lediglich zur Isolierung von Fakten führt, auf den objektiven Zusammenhang zwischen literarischer Technik und literarischer Tendenz verwiesen, d. h. auf die Frage, ob die literarische Technik Einteilung, Anordnung, Betrachtungsweise der Welt und der Wirklichkeit ästhetisch so zu organisieren vermag, daß prozeßhaftes und eingreifendes Denken möglich wird. An diesem Punkt aber kristallisiert sich die inhärente Problematik der dokumentarischen

(66) Brecht: Beschreibung des Denkens, in: Gesammelte Werke 20. Schriften zur Politik und Gesellschaft. werkausgabe edition suhrkamp. Frankfurt 1967, S. 170/71.
(67) Brecht: Der Dreigroschenprozeß. Ein soziologisches Experiment. Gesammelte Werke 18 (Anm. 66), S. 205.
(68) Benjamin: Der Autor als Produzent (Anm. 61), S. 112.
(69) Bloch: Marxismus und Dichtung (Anm. 9), S. 141.
(70) Vgl. Benjamin: Das Kunstwerk im Zeitalter seiner technischen Reproduzierbarkeit. Illuminationen. Suhrkamp Verlag 1961, S. 174.

Literatur, weil ihr, sofern sie bloße „Literatur des Faktums" [71] ist, diese Möglichkeit entgeht.

Darauf zielt bereits die Kritik von Lukács: Er macht den Autoren der dokumentarischen Literatur (der Reportage und des Reportageromans vor allem) den Vorwurf, daß sie „nur einzelne isolierte Tatsachen (oder bestenfalls Tatsachenkomplexe) abgetrennt von der bewegt-widerspruchsvollen Einheit des Gesamtprozesses erkennen und über solche Tatsachenkomplexe moralische Werturteile fällen" können. Die Konkretheit der Reportage würde sich nur dann als eine dialektische, d. h. mit dem real-geschichtlichen Gesamtprozeß vermittelte erfüllen, wenn sie zugleich die „Aufdeckung und Darlegung der Ursachen und Zusammenhänge" [72] in ihre ästhetische Formation aufnehmen könnte.

4. Das Beispiel der Kulturindustrie: die Transformation des Kunstwerks zur Ware

Unter dem Gesichtspunkt der technischen Reproduzierbarkeit, die zu einer qualitativen Veränderung der ästhetischen Gebilde führt und ihre „auratische Daseinsweise" [73] (Einmaligkeit, Echtheit, Autorität, Traditionswert) endgültig zerstört, wird sich die historisch-kritische Analyse auch auf die neuen technischen Medien beziehen müssen.

Die Umwälzung der geistigen und literarischen Produktionsmittel, die mit der Veränderung der schriftstellerischen Produktionsbedingungen korreliert, hat, in Beziehung auf die gegenwärtige Entwicklungsstufe, ihren objektiv-historischen Grund unter anderem auch in der technischen Revolution, d. h. in der „Technifizierung der literarischen Produktion" [74] und im Aufkommen der „ersten wirklich revolutionären Reproduktionsmittel" [75] von Photographie und Film: im Aufkommen neuer technischer Medien also, die heute vor allem im Fernsehen wirksam sind.

Diesen neuen Mitteln wird von Benjamin und Brecht, in ähnlicher Form später von Enzensberger [76], eine virtuell kritisch-emanzipatorische Funktion zugeschrieben, die sich etwa auch in der „Vergesellschaftung dieser Produktionsmittel" [77] sowie in dem veränderten „Verhältnis der Masse zur Kunst" [78]

---

(71) Bloch: Marxismus und Dichtung (Anm. 9), S. 138.
(72) Lukács: Reportage oder Gestaltung? In: Marxismus und Literatur II (hrsg. von Fritz Raddatz). Rowohlt, Hamburg 1969, S. 153 und 155. Vgl. auch Pallowski, G. K.: Die dokumentarische Mode. In: Literaturwissenschaft und Sozialwissenschaften. Stuttgart 1971, S. 235—314.
(73) Benjamin: Das Kunstwerk im Zeitalter seiner technischen Reproduzierbarkeit (Anm. 70), S. 20.
(74) Brecht: Der Dreigroschenprozeß (Anm. 67), S. 156.
(75) Benjamin (Anm. 70), S. 20.
(76) Enzensberger: Baukasten zu einer Theorie der Medien. Kursbuch 20, März 1970. Suhrkamp Verlag, Frankfurt 1970, S. 159—186.
(77) Brecht (Anm. 67), S. 158.
(78, 79) Benjamin (Anm. 69), S. 38.

(„simultane Kollektivrezeption") [79] realisiert. Voraussetzung ist dafür allerdings, daß die neuen technischen Produktions- und Reproduktionsmittel so eingesetzt und gebraucht werden, daß dadurch die gesamte Funktion der Kunst umgewälzt wird. Angesichts der heute erkennbaren totalen Hereinziehung der Medien, des Buches wie vor allem des Fernsehens, in die Warensphäre (Angleichung der Kulturprodukte an die Warenstruktur) und in das ökonomische Herrschaftssystem muß indes die Frage gestellt werden, ob und unter welchen Bedingungen die von Brecht und Benjamin anvisierten Möglichkeiten zur Zeit noch gegeben sind. Jedenfalls wird sich in dieser Hinsicht die kritische Analyse auf die von Brecht selbst formulierte Einschränkung und 'Voraussetzung' beziehen müssen: „In diesem Sinne ist die Umschmelzung geistiger Werte in Waren (Kunstwerke, Verträge, Prozesse sind Waren) ein fortschrittlicher Prozeß und man kann ihm nur zustimmen, vorausgesetzt, daß der Fortschritt als Fortschreiten gedacht wird, nicht als Fortgeschrittenheit, daß also auch die Phase der Ware als durch weiteres Fortschreiten überwindbar angesehen wird." [80]

Um die Warenstruktur und die 'Phase der Ware' als Prozeß-Moment aus den gesamtgesellschaftlichen Bedingungen erklären zu können, bedarf es analytischer Begriffe, wie sie unter anderem in der kritischen Theorie der Kulturindustrie Adornos [81] ausgearbeitet worden sind.

Danach sind die Kulturindustrie und ihre Produkte, deren Struktur sich unter dem Begriff der mit der Reklame identisch gewordenen „paradoxen Ware" [82] erfassen läßt, aus dem Zusammenhang der historischen „Dialektik der Aufklärung" zu analysieren. Grundlegend ist dafür der dialektische Befund, daß progressive Momente des geschichtlichen Prozesses (z. B. die Transformation des Kunstwerks zur Ware) aus sich die Bedingungen für den Umschlag in regressive Entwicklungen hervorbringen können, d. h., daß der im Prozeß der Aufklärung tendenziell angelegte Fortschritt jederzeit in Rückschritt, Kritik in Affirmation, theoretische Einbildungskraft, die am Bestehenden wie an den herrschenden Denkformen negativ ansetzt, in die positivistische Absperrung des Denkens umschlagen kann. Verdinglichtes Bewußtsein und das blindlings pragmatisierte Denken, die den über die Wirklichkeit gezogenen ideologischen Schleier nicht mehr zu durchstoßen vermögen, sind die Signatur der „Selbstzerstörung der Aufklärung".[83] Ihr Produkt ist der „Typus des manipulativen Charakters" [84], der sich den herrschenden ökonomischen und technischen Mächten, wozu auch die Medien der Kulturindustrie gehören, willfährig unterwirft.

„Wir hegen keinen Zweifel — und darin liegt unsere petitio principii —,

(80) Brecht (Anm. 67), S. 201/204.
(81) Horkheimer/Adorno: Dialektik der Aufklärung. Amsterdam 1968.
(82) Horkheimer/Adorno (Anm. 81), S. 192.
(83) Horkheimer/Adorno (Anm. 81), S. 7.
(84) Adorno: Erziehung nach Auschwitz, in: Stichworte. Kritische Modelle 2. edition suhrkamp 347. Frankfurt 1969, S. 94.

daß die Freiheit in der Gesellschaft vom aufklärenden Denken unabtrennbar ist. Jedoch glauben wir, genauso deutlich erkannt zu haben, daß der Begriff eben dieses Denkens, nicht weniger als die konkreten historischen Formen, die Institutionen der Gesellschaft, in die es verflochten ist, schon den Keim zu jenem Rückschritt enthalten, der heute überall sich ereignet. Nimmt Aufklärung die Reflexion auf dieses rückläufige Moment nicht in sich auf, so besiegelt sie ihr eigenes Schicksal." [85]

Die kritische Analyse der Kulturindustrie zeigt demnach „die Regression der Aufklärung an der Ideologie, die in Film und Radio ihren maßgebenden Ausdruck findet. Aufklärung besteht dabei vor allem im Kalkül der Wirkung und der Technik von Herstellung und Verbreitung; ihrem eigentlichen Gehalt nach erschöpft sich die Ideologie in der Vergötzung des Daseienden und der Macht, von der die Technik kontrolliert wird." [86]

Das ökonomische und technische Herrschaftssystem der Kulturindustrie bezeichnet folglich den Punkt, an dem „die Öffentlichkeit einen Zustand erreicht hat, in dem unentrinnbar der Gedanke zur Ware und die Sprache zu deren Anpreisung wird".[87]

Um die Verschmelzung der Kulturprodukte, die den Charakter einer Ware angenommen haben, mit den Strukturen der Reklame einsichtig zu machen, ist es notwendig, die Struktur der Ware selbst und die im geschichtlich-ökonomischen Prozeß anhängige Umwandlung des natürlichen Arbeitsprodukts in eine Ware zu untersuchen. Die analytischen Grundlagen für diese Untersuchung finden sich bei Marx:

„Das Geheimnisvolle der Warenform besteht also einfach darin, daß sie den Menschen die gesellschaftlichen Charaktere ihrer eignen Arbeit als gegenständliche Charaktere der Arbeitsprodukte selbst, als gesellschaftliche Natureigenschaften dieser Dinge zurückspiegelt, daher auch das gesellschaftliche Verhältnis der Produzenten zur Gesamtarbeit als ein außer ihnen existierendes gesellschaftliches Verhältnis von Gegenständen. Durch dieses Quidproquo werden die Arbeitsprodukte Waren, sinnlich übersinnliche oder gesellschaftliche Dinge. So stellt sich der Lichteindruck eines Dings auf den Sehnerv nicht als subjektiver Reiz des Sehnervs selbst, sondern als gegenständliche Form eines Dings außerhalb des Auges dar. Aber beim Sehen wird wirklich Licht von einem Ding, dem äußeren Gegenstand, auf ein andres Ding, das Auge, geworfen. Es ist ein physisches Verhältnis zwischen physischen Dingen. Dagegen hat die Warenform und das Wertverhältnis der Arbeitsprodukte, worin sie sich darstellt, mit ihrer physischen Natur und den daraus entspringenden dinglichen Beziehungen absolut nichts zu schaffen. Es ist nur das bestimmte gesellschaftliche Verhältnis der Menschen selbst, welches hier für sie die phantasmagorische Form eines Verhältnisses von Dingen annimmt. Um daher eine Analogie zu finden, müssen wir in die Nebelregion der religiösen Welt flüchten. Hier scheinen die Produkte des menschlichen Kopfes mit eignem Leben begabte, untereinander und mit den Menschen in Verhältnis stehende selbständige Gestalten. So in der Warenwelt die Produkte der menschlichen Hand. Dies nenne ich den Fetischismus, der

(85) Horkheimer/Adorno (Anm. 81), S. 7.
(86) Horkheimer/Adorno (Anm. 81), S. 11.
(87) Horkheimer/Adorno (Anm. 81), S. 5.

den Arbeitsprodukten anklebt, sobald sie als Waren produziert werden, und der daher von der Warenproduktion unzertrennlich ist.

Dieser Fetischcharakter der Warenwelt entspringt, wie die vorhergehende Analyse bereits gezeigt hat, aus dem eigentümlichen gesellschaftlichen Charakter der Arbeit, welche Waren produziert.

Gebrauchsgegenstände werden überhaupt nur Waren, weil sie Produkte voneinander unabhängig betriebner Privatarbeiten sind. Der Komplex dieser Privatarbeiten bildet die gesellschaftliche Gesamtarbeit. Da die Produzenten erst in gesellschaftlichen Kontakt treten durch den Austausch ihrer Arbeitsprodukte, erscheinen auch die spezifisch gesellschaftlichen Charaktere ihrer Privatarbeiten erst innerhalb dieses Austausches. Oder die Privatarbeiten bestätigen sich in der Tat erst als Glieder der gesellschaftlichen Gesamtarbeit durch die Beziehungen, worin der Austausch die Arbeitsprodukte und vermittelst derselben die Produzenten versetzt. Den letzteren erscheinen daher die gesellschaftlichen Beziehungen ihrer Privatarbeiten als das was sie sind, d. h. nicht als unmittelbar gesellschaftliche Verhältnisse der Personen in ihren Arbeiten selbst, sondern vielmehr als sachliche Verhältnisse der Personen und gesellschaftliche Verhältnisse der Sachen." (Marx: Das Kapital, Erster Band, I. Abschnitt, 1. Kapitel: Die Ware. MEW, Berlin 1962, Band 23, S. 86/87.)

Die hier vorgenommene Unterscheidung zwischen Gebrauchswert und Tauschwert wird in der kritischen Theorie der Kulturindustrie auf den Bereich der Kulturproduktion übertragen. „Indem das Kunstwerk ganz dem Bedürfnis sich angleicht, betrügt es die Menschen vorweg um eben die Befreiung vom Prinzip der Nützlichkeit, die es leisten soll. Was man den Gebrauchswert in der Rezeption der Kulturgüter nennen könnte, wird durch den Tauschwert ersetzt, an Stelle des Genusses tritt Dabeisein und Bescheidwissen, Prestigegewinn an Stelle der Kennerschaft." [88] Verneint wird in diesem Argumentationszusammenhang indessen nicht der Warencharakter der Kunst, sondern die in Paradoxe („paradoxe Ware") getriebene „Auflösung ihres genuinen Warencharakters" [89], der allen gesellschaftlichen Produkten unvermeidlich und konstitutiv zu eigen ist. Die Auflösung des genuinen Warencharakters zeigt sich im Bereich der Kulturproduktion darin, daß alles nur Wert hat, „sofern man es eintauschen kann, nicht sofern es selbst etwas ist. Der Gebrauchswert der Kunst, ihr Sein", gilt den Institutionen der Kulturindustrie „als Fetisch, und der Fetisch, ihre gesellschaftliche Schätzung, die sie als Rang der Kunstwerke verkennen, wird zu ihrem einzigen Gebrauchswert, der einzigen Qualität, die sie genießen. So zerfällt der Warencharakter der Kunst, indem er sich vollends realisiert. Sie ist eine Warengattung, zugerichtet, erfaßt, der industriellen Produktion angeglichen, käuflich und fungibel, aber die Warengattung Kunst, die davon lebte, verkauft zu werden und doch unverkäuflich zu sein, wird ganz zum gleißnerisch Unverkäuflichen, sobald das Geschäft nicht mehr bloß ihre Absicht, sondern ihr einziges Prinzip ist." [90]

(88) Horkheimer/Adorno (Anm. 81), S. 188.
(89) Horkheimer/Adorno (Anm. 81), S. 190. (90) Horkheimer/Adorno (Anm. 81), S. 188.

VII. Skizzierung eines Methodenkonzepts

Wenn es darum geht, aus den vorangegangenen Überlegungen ein Methodenkonzept der historisch-kritischen Sozialtheorie der Literatur abzuleiten (das sich in der nachfolgenden Modell-Analyse bewähren soll), so wird man unausweichlich auch auf Zielbestimmungen, die in den Methoden impliziert sind, verwiesen.

Um dieses Methoden- und Zielkonzept zu skizzieren, bedarf es allein noch der Systematisierung der seither fortschreitend entwickelten Theoreme.

In den bisherigen Untersuchungen haben sich deutlich drei methodische Operationen (Schritte) des literaturanalytischen, d. h. des rezeptiven ästhetischen Erkenntnisprozesses herausgestellt, die zugleich auf die Operationalisierung der in ihnen implizierten Ziele hinweisen (natürlich ist immer zu bedenken, daß diese Operationen als Stufen der Erkenntnisentwicklung prozeßhaft ineinandergreifen):

1. Empirische Text-Feststellung: Erfassen des Textes in seiner (scheinbaren) Phänomenalität ersten Grades;

2. Historisch-kritische Text-Analyse: Erfassen des Textes in seiner (realen) Phänomenalität zweiten Grades;

3. Text-Destruktion: Eingreifen in den Text vom Standpunkt der Gegenwart aus, d. h. Erfassen des Textes in seiner (real möglichen) objektiven Antizipation und Konkordanz mit dem Bewußtsein der Gegenwart.

1. Empirische Text-Feststellung

Wenn soziologisches Erkennen (Begreifen) und Deuten, wie es auf der Stufe der historisch-kritischen Analyse vollzogen wird, primär heißt: „an Zügen sozialer Gegebenheit der Totalität gewahr" [91] werden, d. h. die literarischen (sozial-ästhetischen) Phänomene als Vermittlungsmomente des sozialen und ästhetischen Geschichtsprozesses auffassen, dann ist es notwendig, diese Gegebenheiten in ihren wahrnehmbaren physiognomischen Zügen zunächst einmal festzustellen. Denn die an den Einzelphänomenen aufscheinende Totalität kann nur so weit erkannt werden, wie sie „in Faktischem und Einzelnem ergriffen wird". Die Fakten sind mit der Totalität nicht identisch, „aber sie existiert nicht jenseits von den Fakten".[92]

Um der Totalität, des Gesamtprozesses gewahr zu werden, bedarf es deshalb zunächst „gesteigerter Genauigkeit empirischer Beobachtung", des „physiognomischen Blicks" [92] auf die feststellbaren und beschreibbaren Züge des Einzelphänomens. Damit ist auch gesichert, daß gesellschaftliche Begriffe nicht von außen an die ästhetischen Gebilde herangetragen, „sondern geschöpft werden aus der genauen Anschauung von diesen selbst".[93]

---

(91) Adorno: Der Positivismusstreit in der deutschen Soziologie (Anm. 2), S. 205.
(92) Adorno (Anm. 2), S. 205.
(93) Adorno: Rede über Lyrik und Gesellschaft. Vgl. Anmerkung Nr. 11.

„Trotz der Reflexion auf Totalität verfährt Dialektik", die den Zusammenhang von Einzelphänomen und Gesamtprozeß auszumachen versucht, „nicht von oben her" [94], sondern geht von unten, d. h. den konkreten (ästhetischen) Erscheinungen aus.

Allerdings muß sich die auf die konkreten Erscheinungen zunächst gerichtete Mikrologie und physiognomische Erfassung immer bewußt bleiben (und dieses Bewußtsein auch in ihr Verfahren aufnehmen), daß die Einzelphänomene als mit der Totalität vermittelte jederzeit nur scheinbar und gleichsam nur vorübergehend in ihrer Phänomenalität ersten Grades, ihrer scheinbaren „phänomenologischen Invarianz" [95] festgehalten werden können. Da in ihnen der Gesamtprozeß nur stillgestellt erscheint, wird auch die empirische Beobachtung und Beschreibung immer schon auf diese bewegliche und historische Phänomenalität zweiten Grades verwiesen.

Die empirische und mikrologische Beobachtung der ästhetischen Gebilde als erste Stufe im Erkenntnisprozeß (Text-Feststellung) ist auch für Benjamins „kritische Methode" unerläßlich. „Die Scheidung des Wahren vom Falschen ist für die kritische Methode nicht der Ausgangspunkt, sondern das Ziel. Das heißt mit andern Worten, daß sie bei dem vom Irrtum, von der doxa durchsetzten Gegenstand ihren Ansatz nimmt. Die Scheidungen, mit denen sie einsetzt — eine scheidende ist sie von Anfang an —, sind Scheidungen innerhalb dieses höchst gemischten Gegenstands selbst, und den kann sie gar nicht gemischt, gar nicht unkritisch genug vergegenwärtigen. Sie würde ihre Chancen mit einem Anspruch, die Sache, wie sie ‚in Wahrheit' ist, anzutreten, nur sehr vermindern; und sie vermehrt sie erheblich, wenn sie denselben in ihrem Verfolg mehr und mehr fallen läßt und sich so auf die Einsicht vorbereitet, daß die ‚Sache an sich' nicht ‚in Wahrheit' ist." [96]

Text-Feststellung als unkritische Vergegenwärtigung des Gegenstands selbst, vermittels genauer Anschauung und Beobachtung, ist demnach für die historisch-kritische Methode der Ausgangspunkt.

2. Historisch-kritische Text-Analyse

Ihre Aufgabe besteht nun, nach allem Vorigen, darin, das ästhetische Phänomen in seiner realen Phänomenalität zweiten Grades zu erfassen, d. h. als prozeßhaft-bewegliches Vermittlungsmoment der Totalität, des geschichtlichen Gesamtprozesses zu analysieren. Um das Einzelphänomen solchermaßen aus der Totalität zu erklären und die Totalität zugleich in ihm gespiegelt und erfaßbar zu finden, ist es notwendig, das in ihm Stillgestellte als das auch in der Beobachtung Festgestellte wieder zu verflüssigen und in seinen Geschichtsprozeß zurückzuversetzen.

(94) Adorno: Positivismusstreit (Anm. 2), S. 211/12.
(95) Adorno (Anm. 2), S. 210.
(96) Benjamin: Fragment über Methodenfragen einer marxistischen Literatur-Analyse. Kursbuch 20, Frankfurt 1970, S. 1.

Dafür dient eine dreifache analytische Vermittlung (wobei auch hier wiederum zu bedenken ist, daß diese drei Operationen ineinandergreifen):

a) *Vermittlung mit dem ästhetischen Geschichtsprozeß:* Einfügung des literarischen Einzelphänomens in seinen ästhetischen Geschichtsprozeß als den größeren bewegenden Zusammenhang und Analyse der literarischen Produktionsmittel (der literarischen Technik etc.) aus diesem Zusammenhang. Das heißt zugleich: Bestimmung der literarischen Technik in Beziehung auf ihre Stellung in den schriftstellerischen Produktionsverhältnissen. Auf diese Weise kann ausfindig gemacht werden, ob die literarische Tendenz, im Verhältnis zu den sich verändernden Bedingungen der literarischen Produktion, in einem Fortschritt, bezogen auf den historisch gegebenen Umschmelzungsprozeß literarischer Formen, oder in einem Rückschritt besteht, der diesen Prozeß aufzuhalten versucht oder überhaupt zurückstellt. In der verschieden gerichteten literarischen Tendenz, die immer an ihre konkreten Bedingungen zurückgebunden werden kann, vergegenständlichen sich dann auch die utopischen oder ideologischen Momente der Literatur.

b) *Vermittlung mit dem sozialen Geschichtsprozeß:* Vermittlung des zuvor erkannten größeren ästhetischen Zusammenhangs (der möglicherweise epochenmäßig bestimmbar ist) und der aus ihm analysierten Stellung des Einzelphänomens mit ihrem gesellschaftlich-politischen Geschichtsprozeß. Dazu gehört die Sphäre der gesellschaftlichen Produktionsweise und der gesellschaftlichen Verhältnisse ebenso wie die in ihr angelegte politische Verfassung einer Zeit: der Entstehungszeit des in Frage stehenden literarischen Werks zunächst. Das Ziel dieser Analyse liegt vor allem darin, kritisch bestimmen zu können, ob und in welchem Maße das literarische Einzelphänomen sich dem mit ihm vermittelten sozialen Geschichtsprozeß gegenüber ideologisch-apologetisch oder utopisch-kritisch verhält. Um diese (in der literarischen Tendenz aufgehobene) historisch-gesellschaftliche Tendenz eines literarischen Gebildes analysieren zu können, bedarf es der Erkenntnis der dem sozialen Geschichtsprozeß immanenten Bewegungs- und Entwicklungstendenzen (der Tendenzen — Latenzen). Dann kann befunden werden, ob die gesellschaftliche Tendenz des literarischen Phänomens mehr in einem Fortschritt (ästhetische Einsetzung utopischer Gehalte und Versuch zur Emanzipation) oder in einem Rückschritt (ideologische Befestigung und Verklärung des Bestehenden) sich erfüllt.

c) *Vermittlung mit dem Geschichtsprozeß der Überlieferung.* Es steht außer Frage, daß der Überlieferungsprozeß und die ihn bestimmenden historischen Träger der Überlieferung den überlieferten Gegenstand nachhaltig und objektiv verändern. Das heißt: Der literarische Gegenstand der Analyse ist auch in dieser Hinsicht als ein weiterhin vermitteltes Phänomen aufzufassen. Die Analyse, die sich diese objektiven Verschiebungen und Veränderungen bewußtmacht und sich folglich historisch relativiert, hat zugleich den Vorteil, die im Überlieferungsprozeß anhängigen gesellschaftlichen Interessen aufzudecken. Dazu ein Zitat aus Benjamins ‚Methoden-Fragment‘ [97]:

(97) Benjamin (Anm. 96), S. 1/2.

„Es ist eine vulgärmarxistische Illusion, die gesellschaftliche Funktion eines sei es geistigen, sei es materiellen Produkts unter Absehung von den Umständen und den Trägern seiner Überlieferung bestimmen zu können. ,Als ein Inbegriff von Gebilden, die unabhängig, wenn nicht von dem Produktionsprozeß, in dem sie entstanden, so doch von dem, in welchem sie überdauern, betrachtet werden, trägt der Begriff der Kultur [...] einen fetischistischen Zug.' Die Überlieferung der baudelaireschen Dichtung ist noch sehr kurz. Aber sie trägt schon historische Einkerbungen, die ihre Verwertung ermöglichen. — Ein Bild von Baudelaire liegt hiermit vor, und zwar ist es das überlieferte [...]. Unscheinbar, aber echt, ist aber der Konflikt, in dem in einem bestimmten Fall die gesellschaftlichen Interessen der Überlieferung mit dem Gegenstande liegen, der überliefert wird. Der Wert des erzielten Bildes beruht vielmehr darauf, den Dargestellten als Zeugen gegen die Überlieferung aufzubieten [...]" (zuvor hat Benjamin für die Überlieferung den Vergleich mit der Kamera eingeführt).

Hier zitiert Benjamin Überlegungen aus seinem früher entstandenen Aufsatz ,Eduard Fuchs, der Sammler und der Historiker'[98]:

„Das Werk der Vergangenheit ist ihm" [dem historischen Materialismus] „nicht abgeschlossen. Keiner Epoche sieht er es dinghaft, handlich in den Schoß fallen, und an keinem Teil. Als ein Inbegriff von Gebilden, die unabhängig, wenn nicht von dem Produktionsprozeß, in dem sie entstanden, so doch von dem, in welchem sie überdauern, betrachtet werden, trägt der Begriff der Kultur ihm einen fetischistischen Zug. Sie erscheint verdinglicht. Ihre Geschichte wäre nichts als der Bodensatz, den die durch keinerlei echte, d. i. politische Erfahrung im Bewußtsein der Menschen aufgestöberten Denkwürdigkeiten gebildet haben." Ergänzt wird dieser der geschichtlichen Erfahrung unveräußerliche Grundsatz, die literarischen Gebilde nicht unabhängig von ihrem Überlieferungsprozeß (dem Prozeß, in dem sie überdauern) zu betrachten, durch ein Verfahren, das sie nicht „losgelöst von ihrer Wirkung auf die Menschen und deren sowohl geistigen wie ökonomischen Produktionsprozeß" analysiert. Damit wird die kritische „Einsicht in die Bedeutung einer Geschichte der Rezeption" zu einer weiteren Komponente der historisch-gesellschaftlichen Analyse.

Aufgrund dieser Konzeption integrieren die literarischen Gebilde „ihre Vor- wie ihre Nachgeschichte —, eine Nachgeschichte, kraft deren auch ihre Vorgeschichte als in ständigem Wandel begriffen erkennbar wird. Sie lehren ihn" [den Interpreten], „wie ihre Funktion ihren Schöpfer zu überdauern, seine Intentionen hinter sich zu lassen vermag; wie die Aufnahme durch seine Zeitgenossen ein Bestandteil der Wirkung ist, die das Kunstwerk heute auf uns selber hat, und wie die letztere auf der Begegnung nicht allein mit ihm, sondern mit der Geschichte beruht, die es bis auf unsere Tage hat kommen lassen."

(98) Benjamin, W.: Eduard Fuchs, der Sammler und der Historiker. In: Das Kunstwerk im Zeitalter seiner technischen Reproduzierbarkeit. Drei Studien zur Kunstsoziologie. edition suhrkamp 28, S. 97 f., und in: Angelus Novus (Anm. 8), S. 302 f.

Das bedeutet, in der Literaturanalyse eine „Erfahrung mit der Geschichte ins Werk zu setzen, die für jede Gegenwart eine ursprüngliche ist", d. h., grundsätzlich die (auch für den Historismus bezeichnende) „gelassene, kontemplative Haltung dem Gegenstand gegenüber aufzugeben, um der kritischen Konstellation sich bewußt zu werden, in der gerade dieses Fragment der Vergangenheit mit gerade dieser Gegenwart sich befindet", und damit das „Kontinuum der Geschichte" in Absicht auf das Bewußtsein der Gegenwart aufzusprengen. (An diesem Punkt geht der analytische Prozeß in seine dritte Stufe — Textdestruktion — über.)

Für die Vermittlung des literarischen Einzelphänomens mit dem Geschichtsprozeß seiner Überlieferung (wie mit dem seiner Wirkung und Rezeption), der den Gegenstand der Analyse nachhaltig und objektiv zu verändern vermag und demnach seine phänomenologische Invarianz als scheinhaft ausweist, ergeben sich nunmehr folgende Schritte der Analyse:

— Feststellung und Analyse der geschichtlichen (literarischen und politisch-ökonomischen) Umstände der Überlieferung.

— Feststellung und Analyse der geschichtlichen Träger der Überlieferung.

— Feststellung und Analyse der (aus den vorigen Untersuchungen ableitbaren) jeweils herrschenden gesellschaftlichen Interessen der Überlieferung.

— Konfrontation dieser Befunde (d. h. des „Bildes der Sache, wie sie in die gesellschaftliche Überlieferung einging") mit dem überlieferten Gegenstand selbst, dessen Aura der Überlieferung es zu zerstören gilt, und damit Analyse des „Konflikts, in dem in einem bestimmten Fall die gesellschaftlichen Interessen der Überlieferung mit dem Gegenstande liegen, der überliefert wird". Grundlage für diese Analyse ist ein gegen jegliche Unterweisung sich erhebendes Mißtrauen, das den überlieferten Gegenstand „als Zeugen gegen die Überlieferung" [99] aufbietet.

— Erklärung dieses Konflikts aus den gesellschaftlichen und ideologischen Widersprüchen der historischen Phasen, in denen der Konflikt auftritt.

— Feststellung und Analyse der Wirkungs- und Rezeptionsgeschichte und ihrer (sich einstellenden oder ausbleibenden) Übereinstimmungen mit den Intentionen der Überlieferung.

— Untersuchung des gegenwärtigen Überlieferungsstandes sowie der aktuellen Wirkung und Rezeption und ihres Verhältnisses zu den historischen Sachverhalten.

3. Text-Destruktion

Die analytische und prismatische Arbeit der Text-Destruktion läßt sich bestimmen als produktives (auf Erfahrung, Erkenntnis und Aufklärung sich richtendes) Eingreifen in den literarischen Gegenstand vom Standpunkt der Gegenwart aus, als Erfassen des Gegenstands in der ihm eigenen (real möglichen) objektiven Antizipation und Konkordanz mit dem Bewußtsein der Gegenwart.

(99) Benjamin: Methoden-Fragment (Anm. 96), S. 2.

Sie hat ihr Ziel darin, die widerspruchsvollen geschichtlichen Spuren der gesellschaftlichen Ideologie und Utopie, die für das kritische Bewußtsein der Gegenwart nützlich sind, aus den Texten zu rekonstruieren und in Absicht auf Selbstreflexion und gesellschaftliche Erfahrung verwertbar zu machen.

(Was auf diese Weise „an Kunst und an Wissenschaft" auch erkannt werden kann, „ist samt und sonders von einer Abkunft", die man „nicht ohne Grauen betrachten kann. Es dankt sein Dasein nicht nur der Mühe der großen Genien, die es geschaffen haben, sondern in mehr oder minderem Grade auch der namenlosen Fron ihrer Zeitgenossen. Es ist niemals ein Dokument der Kultur, ohne zugleich ein solches der Barbarei zu sein." [100])

Die Text-Destruktion wird vor allem dann möglich, wenn der sich vollziehende „aktuale Geschichtsverlauf sprunghaft und unscheinbar wieder aufgreift" [101], was als „Jetztzeit" in der Vergangenheit der literarischen Gebilde noch unabgegolten, tendenzhaft und utopisch aufbewahrt ist und analytisch wieder freigesetzt werden kann. „Dadurch wird ein Blick von vergangenen Zeiten auf die eigene möglich, von objektivierbaren mithin, die trotzdem als Jetztzeiten betreffen mögen und so im doppelten Sinn des Worts wieder angehen." [102]

Voraussetzung dafür ist, daß dem, der sich mit diesen Gebilden historisch-kritisch befaßt, die Geschichte „Gegenstand einer Konstruktion" [103] wird, „deren Ort nicht die leere Zeit, sondern die bestimmte Epoche, das bestimmte Leben, das bestimmte Werk bildet. Er sprengt die Epoche aus der dinghaften geschichtlichen Kontinuität heraus, so auch das Leben aus der Epoche, so das Werk aus dem Lebenswerk" [104] und so auch die für die Erfahrung der Gegenwart relevanten Elemente aus dem Werk: als Erkenntnismittel für das Bewußtsein der Gegenwart.

„Geht es darum, das Kontinuum der Geschichte aufzusprengen, so bedeutet das keinesfalls, auch noch jenen unterbrochenen, doch immer wieder insistierenden Zusammenhang zu sprengen, der 'Strom', 'Tendenz' der Geschichte heißt. Denn nur in dieser Fahrttendenz, als einer sich immer wieder meldenden, Kruste sprengenden, blitzen und überliefern sich die korrespondierenden Jetztpunkte einander selbst. Aufsprengen also heißt hier nicht: punktualisieren, nicht einmal: monadisieren, es setzt vielmehr in der eigenen aufbrechenden Jetztzeit das Eingedenken aller kernverwandten utopischen Momente von vorher und nachher frei und ihre Anweisungen aufeinander." [105]

Für die Text-Destruktion als Eingreifen in das prozeßhaft bestimmte literarische Werk vom Standpunkt der Gegenwart aus, der sich seinerseits als Durch-

(100) Benjamin: Eduard Fuchs (Anm. 98), S. 110.
(101) Benjamin (Anm. 100), S. 114.
(102) Bloch: Über Gegenwart in der Dichtung. Literarische Aufsätze. Band 9 der Gesamtausgabe. Frankfurt 1965, S. 153.
(103) Benjamin (Anm. 100), S. 100.
(104) Benjamin (Anm. 100), S. 100.
(105) Bloch (Anm. 102), S. 155.

gangsort und prozeßhaft erfährt, wird damit die „Witterung für das Aktuelle, wo immer es sich im Dickicht des Einst bewegt" [106], zum entscheidenden kritischen Impuls und zu einer methodisch-analytischen Fähigkeit, die es systematisch auszubilden gilt.

Sie hat ihre Signatur dann nicht nur darin, den überlieferten und von bestimmten gesellschaftlichen Verwertungsinteressen gelenkten Lese- und Deutungsgewohnheiten radikal zu mißtrauen, sondern ebenso in der Möglichkeit, „die Geschichte gegen den Strich zu bürsten" und gegebenenfalls auch die Intentionen des Autors hinter sich zu lassen.

Von hier aus ergibt sich nun für das historisch-kritische Methodenkonzept noch eine entscheidende Erweiterung, die sich grundlegend auf den Ansatz des literaturanalytischen Erkenntnisprozesses bezieht, der von konkreten literarischen Gegenständen jeweils immer erst ausgelöst werden muß, um dann in der aufgezeigten Richtung fortschreiten zu können.

Diese an den Anfang des Erkenntnisprozesses gestellte methodische Erweiterung bezieht sich demnach auf die Frage der von bestimmten literarischen Gegenständen zunächst ausgehenden Motivation des Lesens sowie der von ihnen primär auch bewirkten, mindestens beeinflußten Disposition und Organisation des Leseverhaltens. Daß von hier aus auch die Akte der Text-Feststellung und Text-Analyse überhaupt erst motiviert werden können, ist nur folgerichtig.

Die richtungweisende Komponente dieser noch undifferenzierten und vorläufigen Motivation liegt für den Leser immer schon darin, in konkreter Hinsicht aufmerksam und neugierig zu werden und folglich Fragen zu stellen (deren Tendenzen sich dann mehr und mehr zur historisch-kritischen Methode entwickeln: Sie ermöglicht es, „in den Dingen Prozesse zu erkennen und zu benutzen. Sie lehrt Fragen zu stellen" [107]).

Die Impulse der Aufmerksamkeit und Neugierde wie des Fragens begründen sich zunächst und vor allem im Standpunkt der Gegenwart, in der Witterung für das Aktuelle und damit in der (möglichen) Konkordanz des literarischen Werks mit dem Bewußtsein der Gegenwart. Dieser aktuelle und vorläufig noch von partikularen Erkenntnisinteressen bestimmte Standpunkt, von dem aus der Leser problemperspektivisch in den literarischen Gegenstand eingreift, ist zudem verankert in dessen eigener konkret-gesellschaftlichen Praxis und Erfahrung.

Demnach gilt es, das Verfahren der Text-Destruktion, in dem sich das Ziel des prozeßhaft eingreifenden Lesens und Denkens auf dem Niveau der ausgeführten historisch-kritischen Methode letztlich erfüllt, auch schon an den Anfang des literaturanalytischen Erkenntnisprozesses zu stellen: als Moment

---

(106) Benjamin: Geschichtsphilosophische Thesen, in: Zur Kritik der Gewalt und andere Aufsätze. edition suhrkamp 103. Frankfurt 1965, S. 90.
(107) Brecht: Me-ti. Buch der Wendungen. Bibliothek Suhrkamp 228. Frankfurt 1969, S. 63.

der entsprechenden Motivation und Disposition des Lesens und als Ansatz einer vorläufigen, tendenziell historisch-kritischen Fragestellung, die dann fortschreitend ausgearbeitet und schließlich eingelöst werden soll.

Die Skizzierung des Methodenkonzepts hat nunmehr ergeben, daß sich der literaturanalytische Erkenntnisprozeß in vier Stufen vollzieht:

A) Motivation und vorläufige Text-Destruktion
B) Empirische Text-Feststellung
C) Historisch-kritische Text-Analyse
D) Text-Destruktion

VIII. Modellanalyse: Schillers ‚Räuber' zwischen Utopie (Kritik) und Ideologie (Apologetik): Der unterbrochene Brutus und nichtgewordene Jakobiner — Die Abbiegung des Geschichtsprozesses und der historisch-gesellschaftlichen Bewegungstendenz

Dem aktuellen Leser der ‚Räuber', dem, der das Drama heute vom Standpunkt der Gegenwart aus historisch-kritisch und prozeßhaft eingreifend liest, mit der Witterung für die Jetztzeit in der Vergangenheit und für die (real mögliche) Konkordanz mit dem Bewußtsein der Gegenwart, wird sich ein Element als besonders auffällig und relevant herausstellen: die Struktur des Widerspruchs, der Brechung und Abbiegung. In ihr vermittelt sich auf bezeichnende Weise ein Moment der dem Drama eigenen literarischen Technik mit der literarischen (und politischen) Tendenz. Sie wird nämlich in dem offenen und paradoxen Schluß des Dramas, der die damals herrschende Dramaturgie überholt, vermutlich aber auch die Intention des Autors hinter sich läßt, zugleich (ideologisch-scheinhaft) aufgelöst, also verschleiert und (utopisch-kritisch) hervorgetrieben, also bewußtgemacht. (An den Bruchstellen zumal, die die tiefere Formation und die Tendenz des Dramas erkennen lassen, kann die analytische Arbeit des eingreifenden Lesens ansetzen.)

Es ist, pointiert gesagt, der Widerspruch zwischen der „plebejisch-revolutionären Anlage" und Bewegungstendenz im Aufbruch der Handlung (Karl Moor) und der politischen Resignation an ihrem Ende, die sich, verschleiernd, zu einer von allem Konkret-Geschichtlichen und Konkret-Gesellschaftlichen abgelösten Ideallösung erhebt. Die sich zunächst andeutende Veränderung der politischen und gesellschaftlichen Verhältnisse wird in eine idealistische und transzendental aufgehobene moralische Privatlösung abgebogen. Damit wird zugleich das revolutionäre „Ungenügen, das Überholende" [108] des Anfangs, worin sich der real-geschichtliche Prozeß tendenzhaft zu spiegeln scheint, letztlich rückgängig gemacht, jedenfalls aufgehalten und stillgestellt.

---

(108) Vgl. dazu Bloch, Ernst: Weimar als Schillers Abbiegung und Höhe. Literarische Aufsätze (Anm. 9), S. 96—117, und Mayer, Hans: Schillers ‚Räuber' 1968. Theater heute, Heft 10, Oktober 1968, S. 1—4. — Die im folgenden nicht weiter gekennzeichneten Zitate stammen aus Blochs Aufsatz.

Dieser „Umschlag ins Resignierte", ins „relativ Abdankende" läßt Karl Moor als „unterbrochenen Brutus", als „nichtgewordenen Jakobiner" erscheinen.

Die Frage, ob dieser Befund (Struktur des Widerspruchs und der Abbiegung) die erklärte Intention des Autors nicht weit hinter sich läßt und ob damit nicht ein einzelnes Element aus dem Werk herausgesprengt wird, kann füglich gestellt werden. (Allerdings wird in diesem Zusammenhang dann auch gefragt werden müssen, ob nicht die herrschende Überlieferung und ihre Träger ein Interesse daran haben, gerade dieses Element zu verdecken, so daß es um so nötiger erscheint, die Überlieferungsgeschichte, die das Werk objektiv verändern kann, aufzubrechen und die unterdrückten Elemente freizulegen.)

Als viel entscheidender jedenfalls erweist es sich, daß sich in diesem (freigelegten) immanenten Widerspruch Gesellschaftliches objektiviert und spiegelt (es braucht an dieser Stelle kaum noch gesagt zu werden, daß die Spiegelung sich nicht als punktueller und kausal-mechanistischer Reflex, sondern als komplex vermitteltes und unegales Verhältnis darstellt): Er läßt sich nicht nur an Schiller selbst feststellen und aus dem gesellschaftlichen Zusammenhang analysieren (die Bloch-Zitate beziehen sich überwiegend auf Schillers eigene Entwicklung), es ist vielmehr auch der sich damals tief einkerbende und fortwirkende Widerspruch des sozialen und politischen Geschichtsprozesses in Deutschland. Es ist der historische Widerspruch, der im aufgeklärten Absolutismus und in der revolutionär angelegten bürgerlichen Aufklärung, die indessen vom ökonomisch „unentwickelten deutschen Bürgertum" nicht zu Ende geführt worden ist, ausdrücklich zu sich selbst kommt. Darin zeigen sich geschichtlich bedingte Ungleichzeitigkeiten, Abweichungen und Widersprüche zwischen den (vorwärtsgehenden) geistigen Produktivkräften der Epoche und den (zurückbleibenden) politischen und sozialen Verhältnissen (den Produktionsverhältnissen der Epoche). Das führt zur „deutschen Misere, die bei Schiller besonders sichtbar, besonders brauchbar aus einer platten zur überschwenglichen werden konnte".

Auf diese geschichtlich bedingten Ungleichzeitigkeiten und Widersprüche weist auch Lukács hin [109]:

„Minna von Barnhelm
[...] in England hat die bürgerliche Revolution unter puritanischer Ideologie gesiegt; die englische Aufklärung versuchte, den so freigesetzten ökonomisch progressiven, aber von unzähligen feudalen Überresten durchwobenen Kapitalismus in die Richtung eines Reichs der Vernunft ideologisch weiterzutreiben; in Frankreich verfocht die entschiedenere, theoretisch folgerichtigere Aufklärung dasselbe Ziel in einer absoluten Monarchie, in der die ökonomische Entwicklung längst das vorübergehend fortschrittliche Gleichgewicht der feudalen und bürgerlichen Kräfte aufgelöst hatte, in der der Drang zur revolutionären Umwälzung immer unwiderstehlicher wurde. So waren beide Auf-

(109) Lukács, G.: Minna von Barnhelm. In: Deutsche Literatur in zwei Jahrhunderten. Georg Lukács, Werke Band 7. Neuwied und Berlin 1964, S. 21, und: Goethe und seine Zeit (Vorwort). Ebenda, S. 46.

klärungsbewegungen unauflöslich mit dem realen, politisch-sozialen Fortschritt verbunden. Die deutsche Aufklärung besaß keine derart eindeutig bestimmende gesellschaftliche Grundlage: sie war das Bewußtsein und das Gewissen im Prozeß des Erwachens und Sichfindens, den das deutsche Volk im 18. Jahrhundert durchgemacht hat. Da man infolge der historisch entstandenen Zurückgebliebenheit an eine reale soziale Umwälzung höchstens denken, nicht aber ihr wirkliches Kommen gedanklich vorbereiten konnte, mußten der deutschen Aufklärung die Aufgipfelungen der französischen fehlen: ein ausgebildeter Materialismus und Atheismus, der Übergang des revolutionären Gedankensystems ins Plebejisch-Praktische und damit das prophetische Auftauchen der eigenen inneren Problematik und Widersprüchlichkeit. [. . .]"

„Goethe und seine Zeit
[. . .] Mehring hat in seinem Lessingbuch den einzig richtigen Gesichtspunkt dargelegt, von welchem aus man die deutsche Literatur vom Ende des 18. und vom Anfang des 19. Jahrhunderts zu betrachten hat: diese Literatur ist die ideologische Vorbereitungsarbeit zur bürgerlich-demokratischen Revolution in Deutschland. Nur wenn wir die ganze Periode von Lessing bis Heine von diesem Gesichtspunkt aus betrachten, können wir erblicken, wo in ihr die wirklich progressiven beziehungsweise reaktionären Tendenzen zu finden sind.

Die Fragestellung Mehrings ist richtig, und er erkannte auch — zumindest teilweise — den richtigen Weg, den die Forschung einzuschlagen hat: es müssen die eigentümlichen Umstände der deutschen Entwicklung, die wirtschaftliche, gesellschaftliche und politische Zurückgebliebenheit des Landes untersucht werden, aber von jenem großen internationalen Zusammenhang aus gesehen, der die eigentümliche Entfaltung der deutschen Literatur sowohl positiv wie negativ bestimmte. Die Große Französische Revolution, die Napoleonische Periode, die Restauration, die Julirevolution sind Ereignisse, die die deutsche Kulturentwicklung fast ebenso tief beeinflußt haben wie die innere gesellschaftliche Struktur Deutschlands. Jeder bedeutende deutsche Schriftsteller steht nicht nur auf dem Boden der eigenen heimatlichen Entwicklung, sondern ist zugleich der mehr oder weniger verständnisvolle Zeitgenosse, Verarbeiter und Weiterentwickler, das geistige Spiegelbild dieser Weltereignisse.

Freilich nicht nur der der großen historischen Ereignisse selbst, sondern auch der ihrer Vorbereitung und ihrer Folgen. Und hier setzt sich — jetzt schon über den Gesichtspunkt Mehrings hinausgehend — jene Erkenntnis durch, daß die wirtschaftliche und gesellschaftliche Zurückgebliebenheit Deutschlands gerade in bezug auf die Entwicklung der Literatur und Philosophie für die großen Dichter und Denker nicht nur einen Nachteil bedeutete, sondern auch gewisse Vorteile. [. . .]"

Wie „Schiller, als der von Haus aus Plebejisch-Revolutionäre", als der unterbrochene Brutus und nichtgewordene Jakobiner, von den politischen und gesellschaftlichen Verhältnissen (der „Misere des Drucks") „am sichtbarsten gestört, betroffen" werden konnte und wie damit die von ihm ästhetisch aufgegriffene historische Bewegungstendenz in ihrem Fortschritt zugleich wieder abgebogen und zurückgestellt worden ist, wird in einigen Punkten von Bloch dargelegt.[109a] (Er bezieht sich dabei vor allem auf die in der Gesamtentwicklung Schillers

(109a) Siehe Anm. 108.

sichtbar werdende Wendung, auf den „Übergang von Karl Moor in der Schenke zu Sachsen, selbst vom Monolog des Fiesco zur Neuklassik" der Weimarer Zeit. Daß sich dieser Übergang und Widerspruch bereits in den ‚Räubern' faßlich artikuliert, ist als Ansatzpunkt der historisch-kritischen Analyse angedeutet worden.) Das revolutionäre „Ungenügen, das Überholende an Schiller" (die ästhetischen wie politischen Gegebenheiten Überholende) wird abgebogen, weil „dessen Ungestüm nicht exakt politisch" ist; „dazu fehlt ihm die Beschäftigung mit den jeweiligen und konkreten Vorgängen [...]. Trotzdem ist Schiller der klassische Dichter des Ungenügens, und zwar mit einem bedeutend anderen Element als bei Faust, nämlich mit dem moralisch-fordernden. Dergleichen hätte nun aber, um mit dem Vorhandenen nicht teils vage, teils allzu total zerfallen zu sein, Kenntnis und Bejahung der Französischen Revolution gebraucht [...]. Statt einer Wahlverwandtschaft mit den Jakobinern findet sich dagegen bei Schiller eine selbst im Deutschland der Misere ungewöhnliche Fremdheit, ja bald Feindschaft gegen die größte Tendenz seines Jahrhunderts. Er verneinte, zum Unterschied von Forster, aber auch vom jungen Fichte und sogar Friedrich Schlegel, nicht nur die Formen, auch die spezifischen Inhalte (Freiheit und Gleichheit) der bürgerlichen Revolution." Daß diese Inhalte allerdings, im Blick auf die erst später eintretende Französische Revolution, als konkrete Utopie sich auch unter den revolutionären Zielen Karl Moors finden (I, 2 und II, 3), sollte in diesem Zusammenhang nicht übersehen werden.

Der geschichtliche Widerspruch zeigt sich weiterhin darin, daß Schiller „im Reich des Schönen, so entsetzlich hoch es auch über die Wirklichkeit gelegt ist, durchaus nicht das ‘Interesse'" vernichtet, „nämlich nicht das der Überholung und ihrer humanen Ziele. Dieses Interesse ist das der Freiheit [...]. Welche Freiheit allerdings ist inhaltlich hier gemeint, welcher Inhalt kann sich in der damaligen Gesellschaft (und gar in Schillers Bewußtsein von ihr) mit der ‘Autonomie' verbinden? Es ist selbstverständlich kein anderer Inhalt in ihr als der der idealisierten Bourgeoisie, und zwar einer, die im ökonomisch unterentwickelten Deutschland kaum mit deutlich vorhandenen Zügen ausgestattet werden konnte [...]. Und doch ermangeln Schillers positiv-ideale Helden nicht eines damals höchst vorhandenen Elements [...]. Es ist das Element Citoyen, ist jener heroische Typ und Gehalt, mit dem die bürgerliche Revolution andrang, ohne den sie überhaupt nicht vorangekommen wäre. Um die längst fälligen bürgerlichen Produktionsverhältnisse herzustellen, brauchte man einerseits das antike Brutus-, auch Aristides- und Catobild, also die historisch-politische Citoyen-Illusion, andererseits den allgemein-idealen Bürger oberhalb des egoistisch-realen, also das philosophisch-politische Citoyen-Ideal."

Auch Robert Minder [110] betont die „Mittelstellung" Schillers, „das Aristokratische und das Jakobinische" an ihm und in seinem Werk. Allerdings bleibt

(110) Minder, Robert: Schiller, Frankreich und die Schwabenväter, in: Hölderlin unter den Deutschen und andere Aufsätze zur deutschen Literatur. edition suhrkamp 275. Frankfurt 1968, S. 154—186.

die Argumentation Minders hinter der historisch-kritischen Analyse zurück, weil sie den objektiv festgestellten Widerspruch nicht mit den gesamtgesellschaftlichen Bedingungen und Tendenzen vermittelt, ihn vielmehr fast nur und darum mindestens verkürzt aus den biographisch gegebenen Lebensumständen und der geistigen Tradition Schillers ableitet und erklärt. „Die Bindung an die Vaterwelt war das Stärkere bei Schiller, und ihr Fundament letztlich religiös" (altwürttembergischer Protestantismus, Tradition der Schwabenväter: Johannes Brenz, Johann Valentin Andreä, Bengel, Pastor Moser). „Identifikation mit dem Vaterbild und Gewissensstrenge hielten den Keim des Jakobinertums nieder, der bis zum Schluß in ihm lag." Anders gewendet: „die Lehre vom Weltverzicht wird bei ihm von Anfang an durchkreuzt vom Willen zur Auflehnung".

Die Struktur des Widerspruchs — unabhängig davon, daß sie von Minder inhaltlich und historisch unzureichend bestimmt wird — gibt sich jedenfalls auch für ihn im „zwiegesichtigen Charakter" der ‚Räuber' und insbesondere in deren Schluß, der für Schiller „nur ein Anfang" war, zu erkennen. In diesem Drama verknoten sich demnach „die Fäden zwischen Politik und Religion". „Luther und Rousseau sprachen abwechselnd. Die evangelische Parabel vom ‚Verlorenen Sohn' — so hieß das Stück ursprünglich — wird gedanklich unterbaut, aber auch unterminiert durch Forderungen aus dem ‚Contrat social', ob ihn nun Schiller schon damals unmittelbar gekannt hat (wie Roger Ayrault annimmt) oder nicht." (Karl Moor als „ein plebejischer Bruder des Plebejers Rousseau".)

Nachweisbar wird dieses Phänomen für Minder dann vor allem auch in der ersten Periode der Wirkungsgeschichte der ‚Räuber' in Frankreich. Sie beginnt bereits mit der ersten Übersetzung des Dramas 1785 und entwickelt sich, insbesondere seit dem 10. März 1972, der ersten Aufführung im Pariser Théâtre du Marais, zum „Triumph der ‚Räuber' zu Beginn der Revolution mit wechselnden Schicksalen in ihrem weiteren Verlauf".

Ausschlaggebend für diesen Erfolg im Aufbruch der Französischen Revolution ist zweifellos das jakobinische Element des Dramas, das noch im Jahr der Erstaufführung zur Auszeichnung des Autors mit dem Ehrenbürgerrecht geführt hat.

Indessen irritiert auch schon der Widerspruch des Dramas: „Das Publikum stolperte über den Schluß. Selbstmord schien eine zu harte, fast sinnlose Strafe, eine unverständliche Abdankung in einer Zeit, wo eben die Fundamente des Staates neu gelegt wurden. Retouchen waren nötig." Deshalb wird der Schluß des Dramas, in dem der immanente Widerspruch wie der Widerspruch zur aktuellen politischen Lage des französischen Publikums zumal hervortritt, entsprechend geändert. (Karl Moor wendet sich an den Kaiser, „von dem er für seine Truppe und sich Generalpardon erfleht. Triumphierend schwenkt ein Bote am Schluß die Zusage. Die illegale Räuberbande ist in den Dienst der Legalität gestellt.")

Im weiteren Verlauf korrelieren Wirkungs- und Rezeptionsgeschichte mit der Entwicklung der Revolution. Der Widerspruch der ‚Räuber' wirkt sich folglich zunächst darin aus, daß sie nicht mehr nur, wie seit ihrem Erscheinen immer schon, der Restauration, sondern mit einmal auch der inzwischen radikalisierten Revolution ein jedenfalls beachtliches politisches Ärgernis sind. „Die Royalisten haben es" (das Werk Schillers) „mitverantwortlich gemacht für die Aburteilung des Königs durch Volksvertreter. Der Vorwurf ist nicht ganz von der Hand zu weisen. Die wahren Jakobiner witterten das andere, Verdächtige heraus. Robespierre verbot das Stück zur selben Zeit, als er die Girondisten aufs Schafott schickte. Erst 1796 taucht es mit Erfolg wieder auf. Diesmal greift der Polizeichef ein. Das beängstigende Anwachsen des Brigantentums in der Provinz veranlaßt ein Generalverbot aller Räuberstücke, die üppig ins Kraut geschossen waren. Unerwartet wird im Mai 1799 eine Ausnahme für Schillers ‚Räuber' gemacht. Nicht weniger als sechs Pariser Theater spielen sie in der Zeit vor und nach dem 18. Brumaire bis zum Juli 1800. Die politische Absicht ist klar. Bonaparte, auf dem Weg, Napoleon zu werden, benützt das Stück als propagandistische Verurteilung der Selbsthilfeaktionen, als Symbol für das Auffangen der anarchistischen Energien in einem Kaiserreich. Ein Bataillon der Pariser Garnison wird abkommandiert, um bei den Räuberaktionen auf der Bühne sachgemäß mitzuwirken. Das Kaiserreich ist da: die ‚Räuber' können gehen. Sie müssen es 1804."

Vor diesem Hintergrund läßt sich nunmehr das historisch-kritische Konzept der Analyse skizzieren (wobei noch einmal darauf hingewiesen werden muß, daß die einzelnen methodischen Schritte wechselseitig bezogene Momente des Erkenntnisprozesses sind).

A) Motivation und vorläufige Text-Destruktion:

Dem prozeßhaft eingreifenden Lesen wird das (ästhetische und politische) Moment des Widerspruchs und der Abbiegung zum Gegenstand einer Konstruktion, die ihm den perspektivischen Zielpunkt der Analyse angibt.

B) Empirische Text-Feststellung:

I. Aufzeichnung der 'tragischen Fabel' in ihren einfachen und feststellbaren physiognomischen Zügen und Gegebenheiten (Handlungsstruktur, Raum, Zeit, Personen-Konstellation etc.). Darin deuten sich einige Strukturbefunde an, auf die Schiller selbst in den ‚Vorreden' hingewiesen hat: 1. „Fülle ineinandergedrungener Realitäten", 2. Tendenz zum „dramatischen Roman", 3. „dramatische Ökonomie". (In diesen Befunden der literarischen Technik zeichnet sich zugleich auch das Überholen der damals herrschenden Dramaturgie ab.)

II. Feststellung des Aufbaus:
1. Exposition und Begründung von Handlung und Gegenhandlung (Franz— Karl), die in ständiger Funktionalität zueinander stehen:
a) Franz: Intrige als „notwendige Aktion in einer bestimmten gesellschaft-

lichen Konstellation" [111]: Problem der Macht und der Thronfolge (Erstgeburts-recht etc.): 1. Szene.

b) Karl: Revolte als Reaktion auf die Intrige, allerdings aristokratische Revolte von oben mit unreflektierten Motiven und Zielen, die sich nur vage an konkret-gesellschaftlichen Gegebenheiten festmachen und denen zudem noch sehr private Momente beigemengt sind (Differenzierung indessen in der Gruppe der Revoltierenden): 2. Szene.

2. Entfaltung der auslösenden Momente:

a) Franz: Begründung der zusehends erfolgreichen Aktion der Machtergrei-fung in einer (historisch fortschrittlichen) materialistisch-darwinistischen Kon-zeption, allerdings mit aristokratisch-despotischen Zügen.

b) Karl: Tendenzhafte Progression der Revolte zu einer sozialen Revolution mit dem Ziel der Veränderung und Verbesserung der gesellschaftlichen und politischen Verhältnisse (vor allem II, 3: Karl—Pater).

3. Krisis:

a) Franz: Der Mechanismus der Machtergreifung wird gestört („Karl lebt noch" etc.).

b) Karl: Abbiegung (und Privatisierung) des revolutionären Prozesses (Karl—Amalia, Kosinsky-Szene).

4. Katastrophe:

a) Franz: Die progressive materialistische Konzeption gibt sich selbst als 'Philosophie der Verzweiflung' preis.

b) Karl: Verurteilung und Zurücknahme des zuvor als berechtigt und not-wendig erkannten revolutionären Prozesses.

Von diesem offenen Schluß aus, in dem sich die Struktur des Widerspruchs erfüllt, ergibt sich der nächste Schritt der Text-Feststellung, der allerdings bereits in die Text-Analyse hinüberführt.

III. Feststellung der Struktur des Widerspruchs und der Abbiegung: Dafür eignet sich am ehesten eine Konfrontation (bezogen auf Karl Moor) zwischen Anfang und Ende des Dramas:

1. Anfang (insbesondere I, 2 und II, 3):

Kritische Bestimmung der sozialen und politischen Mißstände (Absolutis-mus) durch Karl Moor: Ausbeutung und Unfreiheit (Landjunker—Bauer); Ungerechtigkeit, Parteilichkeit und Ungleichheit („Falschmünzen der Gesetze", „Übersilbern der Gerechtigkeit" etc.: der Prozeß des Grafen von Regensburg).

Dem wird die angestrebte revolutionäre Veränderung dieser Mißstände ent-gegengestellt (Republik): „Verschönerung der Welt" als Verbesserung der menschlichen Verhältnisse, „Aufrechterhaltung der Gesetze", Abbau der „Par-teilichkeiten der Vorsicht" (d. h. der vorgegebenen Klassenunterschiede und Privilegien).

2. Ende (insbesondere letzte Szene des 5. Aktes):

(111) Mayer, Hans (Anm. 108), S. 2.

Anerkennung des gesicherten „Baus der sittlichen Welt", die, genau und konkret genommen, „im großen ganzen die damals in Deutschland vorliegende" [112] ist, „Versöhnung der Gesetze", „Heilung der mißhandelten Ordnung", Restauration der „unverletzbaren Majestät der Ordnung" und Verewigung der „göttlichen Harmonie der Welt" als Verklärung des Bestehenden.

Die nunmehr unabweisbar sich aufdrängende Frage nach den Bedingungen, Ursachen und Zusammenhängen dieses Widerspruchs führt zur historisch-kritischen Analyse.

C) Historisch-kritische Text-Analyse:

I. Vermittlung mit dem ästhetischen Geschichtsprozeß:

Wird die Stellung des Dramas im ästhetischen Geschichtsprozeß (in den schriftstellerischen Produktionsverhältnissen seiner Zeit) analysiert, so zeigt sich, daß seine literarische Technik einerseits die herrschende dramaturgische Ästhetik überholt (Vergleich mit dem Sturm-und-Drang-Drama Klingers, Gerstenbergs, Leisewitz', Goethes etc.), andererseits aber hinter den fortgeschrittensten Möglichkeiten zurückbleibt (Lenz).

Daraus folgt, daß auch die literarische Tendenz des Dramas, in Beziehung auf die gesamtästhetische Entwicklung der Epoche, in sich gespalten und widersprüchlich ist. Sie besteht, im Verhältnis zu den seinerzeit sich verändernden Bedingungen der literarischen Produktion und zu dem historisch gegebenen Umschmelzungsprozeß literarischer Formen, in einem Fortschritt. Zugleich aber wird dieser Prozeß nicht konsequent und weit genug vorangetrieben, so daß sich auch in der literarischen Tendenz, sobald das Drama aus der Totalität des ästhetischen Geschichtsprozesses analysiert wird, das Syndrom der Abbiegung zu erkennen gibt. Das wiederum erklärt sich aus dem Vermittlungszusammenhang zwischen der literarischen Tendenz und der in ihr aufgehobenen historisch-gesellschaftlichen Tendenz des Dramas, die sich ihrerseits danach bestimmt, wie das Drama in der Totalität des sozialen Geschichtsprozesses steht.

II. Vermittlung mit dem sozialen Geschichtsprozeß:

Die historisch-kritische Analyse der Stellung des Dramas im gesamtgesellschaftlichen Prozeß wird zur eingangs umrissenen Begründung, Ausarbeitung und Erklärung des anvisierten Zielpunktes (Moment des Widerspruchs und der Abbiegung) führen, der sich dem eingreifenden Lesen zunächst und noch vorläufig als relevant herausgestellt hat.

Für die dazu notwendige historisch-soziologische Information und Erkenntnis sollen einige (keinesfalls verbindliche) Texte genannt werden. Mit ihnen verbindet sich lediglich die Absicht, die Richtung und das Prinzip anzugeben, wonach sich Informationsmaterial und Informationsgehalt zu organisieren haben.

(112) Bloch (Anm. 108), S. 106.

1. Kant: Was ist Aufklärung?

2. Friedrich der Große: Politisches Testament von 1768. Daraus etwa folgende Stelle: „Damit der Adel sich in seinem Besitz behauptet, ist zu verhindern, daß die Bürgerlichen adlige Güter erwerben [...]. Ebenso ist zu vermeiden, daß der Adel in fremde Dienste geht. Vielmehr muß ihm patriotischer Sinn und Standesbewußtsein eingeflößt werden [...]. Der Herrscher soll es als seine Pflicht betrachten, den Adel zu schützen, der den schönsten Schmuck seiner Krone und den Glanz seines Heeres bildet. Darum soll er ihn nicht allein unbehelligt lassen, sondern danach trachten, seine Lage zu verbessern und, soweit es von ihm abhängt, ihn zu bereichern."

3. J. J. Rousseau: „Vom staatsbürgerlichen Zustand (Kap. 8) [113] 1762

Der Übergang aus dem Naturzustande in den bürgerlichen bringt in dem Menschen eine sehr bemerkbare Veränderung hervor, indem in seinem Verhalten die Gerechtigkeit an die Stelle des Instinktes tritt und sich in seinen Handlungen der sittliche Sinn zeigt, der ihnen vorher fehlte. Erst in dieser Zeit verdrängt die Stimme der Pflicht den physischen Antrieb und das Recht der Begierde, so daß sich der Mensch, der bis dahin lediglich auf sich selbst Rücksicht genommen hatte, gezwungen sieht, nach anderen Grundsätzen zu handeln, und seine Vernunft um Rat fragt, bevor er auf seine Neigungen hört. Obgleich er in diesem Zustande mehrere Vorteile, die ihm die Natur gewährt, aufgibt, so erhält er dafür doch so bedeutende andere Vorteile. Seine Fähigkeiten üben und entwickeln sich, seine Ideen erweitern, seine Gesinnungen veredeln, seine ganze Seele erhebt sich in solchem Grade, daß er, wenn ihn die Mißbräuche seiner neuen Lage nicht oft noch unter die, aus der er hervorgegangen, erniedrigte, unaufhörlich den glücklichen Augenblick segnen müßte, der ihn dem Naturzustande auf ewig entriß und aus einem ungesitteten und beschränkten Tiere ein einsichtsvolles Wesen, einen Menschen machte.

Führen wir die ganze Vergleichung beider Zustände auf einige Punkte zurück, bei denen die Unterschiede am klarsten hervortreten. Der Verlust, den der Mensch durch den Gesellschaftsvertrag erleidet, besteht in dem Aufgeben seiner natürlichen Freiheit und des unbeschränkten Rechtes auf alles, was ihn reizt und er erreichen kann. Sein Gewinn äußert sich in der bürgerlichen Freiheit und in dem Eigentumsrecht auf alles, was er besitzt. Um sich bei dem Abwägen der Vorteile beider Stände keinem Irrtum hinzugeben, muß man die natürliche Freiheit, die nur in den Kräften des einzelnen ihre Schranken findet, von der durch den allgemeinen Willen beschränkten, bürgerlichen Freiheit genau unterscheiden und in gleicher Weise den Besitz, der nur die Wirkung der Stärke oder das Recht des ersten Besitzergreifers ist, von dem Eigentum, das nur auf einen sicheren Rechtsanspruch gegründet werden kann.

Nach dem Gesagten würde man noch zu den Vorteilen des Staatsbürgertums die sittliche Freiheit hinzufügen können, die allein den Menschen erst in Wahrheit zum Herrn über sich selbst macht; denn der Trieb der bloßen Begierde ist Sklaverei, und der Gehorsam gegen das Gesetz, das man sich selber vorgeschrieben hat, ist Freiheit. Aber hierüber habe ich schon allzuviel gesagt, und die philosophische Bedeutung des Wortes Freiheit gehört nicht zu den Aufgaben meiner Arbeit.

(113) Rousseau, J. J.: Der Gesellschaftsvertrag oder die Grundsätze des Staatsrechtes, in der verbesserten Übersetzung von H. Denhardt, herausgegeben und eingeleitet von H. Weinstock. Reclam UB 1769/70, Stuttgart 1963.

Vom Gemeingut (Kap. 9)

Jedes Glied des Gemeinwesens übergibt sich demselben in dem Augenblicke seines Entstehens, so wie es sich gerade vorfindet, sich und alle seine Kräfte, von denen die Güter, die es besitzt, einen Teil bilden. Dadurch, daß der Besitz hierbei in andere Hände übergeht, ändert er zwar nicht seine Natur und wird nicht Eigentum des Staatsoberhauptes; da jedoch die Kräfte des Gemeinwesens weit größer sind als die jedes einzelnen, so ist der Staatsbesitz in der Tat auch fester und gesicherter, ohne dadurch, wenigstens den Fremden gegenüber, rechtmäßiger zu sein; denn in bezug auf seine Glieder ist der Staat durch den Gesellschaftsvertrag, der im Staate als Grundlage aller Rechte dient, Herr über alle ihre Güter; was aber die übrigen Mächte anlangt, so ist er es ihnen gegenüber nur durch das ihm von den einzelnen übertragene Recht des ersten Besitzergreifers.

Obgleich das Recht des ersten Besitzergreifers berechtigter ist als das Recht des Stärkeren, so wird es doch erst nach Einführung des Eigentumsrechtes ein wirkliches Recht. Von Natur hat jeder Mensch ein Recht auf alles, was er notwendig braucht; aber gerade der Vertrag, der ihn zum Eigentümer irgendeines Gutes macht, schließt ihn von allem übrigen aus. Nach Festsetzung seines Anteils muß er sich auf ihn beschränken und hat kein Anrecht mehr auf das Gemeingut. Deshalb ist das im Naturzustande so schwache Recht des ersten Besitzergreifers jedem Staatsbürger so achtungswert. Man achtet in diesem Rechte nicht sowohl das Eigentum eines anderen als das, was einem selbst nicht gehört.

Um das Recht des ersten Besitzergreifers auf irgendein Stück Land zu begründen, bedarf es im allgemeinen folgender Bedingungen: erstens, daß dieses Stück Land noch von niemandem bewohnt werde; zweitens, daß man davon nur soviel in Anspruch nehme, wie man zum Unterhalte nötig hat; drittens endlich, daß man davon nicht durch eine leere Förmlichkeit Besitz ergreife, sondern durch Arbeit und Anbau, das einzige Zeichen des Eigentums, das in Ermangelung gesetzlicher Rechtsansprüche von anderen geachtet werden muß.

Gibt man dem Rechte des ersten Besitzergreifers nicht in der Tat dadurch die weiteste Ausdehnung, daß man es mit dem Bedürfnis und der Arbeit vereinigt? Kann man dieses Recht nicht einschränken? Soll es schon genügen, den Fuß auf ein gemeinschaftliches Stück Land zu setzen, um sich sofort für den Herrn desselben auszugeben? Soll die Stärke, die anderen Menschen einen Augenblick lang davon zu verjagen, schon genügen, um ihnen das Recht der Rückkehr zu nehmen? Wie kann sich ein Mensch oder ein Volk anders als durch eine widerrechtliche Besitzergreifung eines unermeßlichen Landstriches bemächtigen und es dem ganzen Menschengeschlechte entziehen, da er den übrigen Menschen den Raum und die Nahrungsmittel raubt, die die Natur ihnen gemeinschaftlich gibt? Als Nunnez Balbao im Namen der Krone von Castilien die Südsee und ganz Südamerika vom Ufer aus in Besitz nahm, war dies schon ausreichend, um allen seinen Bewohnern ihr Eigentumsrecht auf das Land zu entreißen und alle Fürsten der Welt davon auszuschließen? Bei solcher Sachlage vervielfältigen sich diese Förmlichkeiten höchst nutzloserweise, und der katholische König brauchte nur mit einem Male von dem ganzen Weltall Besitz zu ergreifen, sobald er nur hinterher von seinem Reiche alles ausschlösse, was schon vorher von anderen Fürsten in Besitz genommen war.

Es ist leicht begreiflich, wie die vereinigten und aneinandergrenzenden Ländereien der einzelnen Staatsgebiet werden, und wie das Recht der Oberherrlichkeit, indem es sich auf das von den Untertanen besetzte Gebiet ausdehnt, zugleich dinglich und persönlich wird, was die Besitzer in eine größere Abhängigkeit versetzt und ihre Kräfte selbst zu Bürgen ihrer Treue macht. Hierin liegt ein Vorteil, für den die Monarchen in früheren Zeiten kein Verständnis gehabt zu haben scheinen. Sie nannten sich nur

Könige der Perser, der Skythen, der Mazedonier und schienen sich deshalb weit mehr für Oberhäupter der Menschen als für Herren des Landes zu halten. Heutigentags nennen sie sich viel geschickter Könige von Frankreich, von Spanien, von England usw., und indem sie auf solche Weise das Land in Besitz nehmen, haben sie auch die vollkommene Sicherheit, die Bewohner in Besitz zu behalten.

Das Sonderbare bei dieser Veräußerung liegt darin, daß das Gemeinwesen durch Übernahme der Güter der einzelnen diese nicht etwa ihrer Besitzungen beraubt, sondern ihnen gerade erst den rechtmäßigen Besitz dieser Güter in Wahrheit sichert, die Usurpation in ein wahres Recht und den Genuß in Eigentum verwandelt. Da die Besitzer jetzt als Verwahrer des Staatsgutes betrachtet, ihre Rechte von allen Gliedern des Staates geachtet und durch seine ganze Macht dem Fremden gegenüber behauptet werden: so haben sie durch eine Abtretung, die dem Gemeinwesen und in einem noch weit höheren Grade ihnen selber vorteilhaft ist, alles, was sie hingaben, gleichsam wiedergenommen, ein Paradoxon, das sich durch die Unterscheidung der Rechte, die das Staatsoberhaupt und der Eigentümer auf das gleiche Grundstück haben, wie man später sehen wird, leicht erklärt.

Möglich ist auch, daß sich die Menschen zu vereinigen beginnen, ehe sie etwas besitzen, und dann, wenn sie sich später eines für alle ausreichenden Gebietes bemächtigen, es gemeinschaftlich benutzen oder unter sich teilen, sei es zu gleichen Teilen oder nach bestimmten, vom Staatsoberhaupte festgesetzten Verhältnissen. Auf welche Weise sich jedoch die Erwerbung vollziehen möge, stets ist das Recht, welches jeder einzelne auf sein besonderes Grundstück besitzt, dem Rechte, das dem Gemeinwesen auf alle zusteht, untergeordnet, sonst würde es der gesellschaftlichen Vereinigung an Festigkeit und der oberherrlichen Wirksamkeit an wahrer Kraft fehlen.

Ich schließe dieses Kapitel und dieses Buch mit einer Bemerkung, die jedem gesellschaftlichen Plane als Grundlage dienen muß: der Grundvertrag hebt nicht etwa die natürliche Gleichheit auf, sondern setzt im Gegenteil an die Stelle der physischen Ungleichheit, die die Natur unter den Menschen hätte hervorrufen können, eine sittliche und gesetzliche Gleichheit, so daß die Menschen, wenn sie auch an körperlicher und geistiger Kraft ungleich sein können, durch Übereinkunft und Recht alle gleich werden.“ [114]

4. Gracchus Babeuf: „Der Krieg der Armen gegen die Reichen [115] 1795

Verhehlen wir uns nicht die genaue Wahrheit. Was ist eine politische Revolution, allgemein gesprochen? Was ist, im besonderen, die Französische Revolution?

Ein erklärter Krieg zwischen Patriziern und Plebejern, zwischen Reichen und Armen.

Damit wäre also die große Frage angeschnitten. Verfolgen wir einige ihrer Entfaltungen.

(114) (Originalfußnote) Unter schlechten Regierungen ist diese Gleichheit nur scheinbar und trügerisch; sie dient nur dazu, den Armen in seinem Elend und den Reichen in seinem widerrechtlich erlangten Besitz zu erhalten. In Wahrheit sind die Gesetze immer nur für diejenigen wohltätig, die etwas besitzen, und den Besitzlosen schädlich, woraus folgt, daß den Menschen der gesellschaftliche Zustand nur solange vorteilhaft ist, als jeder etwas und keiner zuviel hat.
(115) Aus: Le Tribun du Peuple ou le défenseur des droits de l'homme. Par Gracchus Babeuf. Nr. 34. [Diese Nr. ist datiert vom 15. Brumaire, Jahr IV der Republik = 6. 11. 1795. In der Inhaltsübersicht ist der hier in der Übersetzung (1966) von W. M. Guggenheimer gebrachte Ausschnitt als Guerre des pauvres et des riches bezeichnet.] Zitiert nach: Die frühen Sozialisten, hrsg. von Frits Kool und Werner Krause, Bd. 1 = Dokumente der Weltrevolution Bd. 1. dtv WR 4102, München 1972.

Wenn die schlechten und mißbräuchlichen Einrichtungen einer Nation zur Folge gehabt haben, daß ihre Masse zugrunde gerichtet, herabgewürdigt ist, mit unerträglichen Ketten beladen; wenn das Dasein der Mehrheit so beschwerlich geworden ist, daß sie es nicht mehr aushalten kann, dann für gewöhnlich bricht der Aufstand der Bedrückten gegen die Bedrücker los. Aus dem Zwang, den man in solcher Lage empfindet, wird die Ursache, aus der man in Bewegung gerät, sich aufmachen, nach besseren Bedingungen zu suchen. Auf ganz natürliche Weise kommt man dazu, über die Urrechte der Menschen nachzudenken. Man erörtert sie, man untersucht, welcher Art sie im Naturzustand sind, welcher Art sie sein müssen beim Übergang zu gesellschaftlichen Zuständen. Man erkennt leicht, daß die Natur jeden Menschen gleich an Rechten und Bedürfnissen mit allen seinen Brüdern geschaffen hat; daß diese Gleichheit unverjährbar und unantastbar bleiben muß; daß das Los eines jeden einzelnen keine Veränderung zu seinem Nachteil erfahren darf, sobald der Übergang in den Gesellschaftszustand vollzogen wird; daß die bürgerlichen Einrichtungen, weit entfernt, das gemeine Glück zu schmälern, welches nur dem Festhalten an jener Gleichheit entspringen kann, ausschließlich deren Unverletzlichkeit zu verbürgen haben. [116] Hat man derart untersucht, was sein soll, so prüft man, was ist.

Man entdeckt, daß die übergroße Mehrheit der Glieder der Gesellschaft ihrer Rechte beraubt ist und am Nötigsten Mangel leidet. Man braucht nicht lange zu suchen, um festzustellen, daß, was dem gesündesten, dem arbeitsamsten, dem zahlreichsten Teil des Volkes an Notwendigem fehlt, ihm keineswegs von der Natur verweigert wurde. Sie kennt keinen Undank, sie ist nie im Verzug, wenn es gilt, für den vollen Unterhalt all ihrer Kinder zu sorgen ... Nicht ihre Schuld ist es, wenn sie unter sich eine schlechte Verteilung ihrer Gaben vornehmen; nicht ihre Schuld ist es, wenn die einen frevelhaft genug, verwegen genug sind, zu berauben, die anderen schwach genug und dumm genug, sich berauben zu lassen. So erkennt man denn klar, daß, was der großen Zahl fehlt, in dem Zuviel steckt, im Überfluß der kleinen Zahl. Diese Minderzahl bildet also im Staat eine Kaste von Raffgierigen, von Rechtsbrechern. Zwar behaupten die Angehörigen dieser Kaste, auf Rechtswegen seien sie dazu gelangt, die Mehrheit ihrer Brüder auszurauben. Bald aber hat man erforscht, daß es lediglich mit Hilfe abscheulicher, von den Staatsgewalten bestätigter Einrichtungen geschah. Dann eben wird es auch zum Prozeß gegen die Staatsgewalten kommen. Man erkennt in ihnen und den raffgierigen Patriziern nur noch Mitverschworene. Ganz offenbar ist bald ersichtlich, daß die Beraubung der Massen nur erfolgen konnte dank dem Zusammenwirken der grundlegenden Gesetze; sie sind es, die eine Handvoll Leute aus der Gesamtgesellschaft in die Lage versetzten, alles an sich zu reißen: so aber bilden sie nichts als eine abscheuliche Raubsatzung, sie rechtfertigen in keiner Weise den Besitz der gemeinsamen Reichtümer in den Händen einer Teilhabergesellschaft von Raubgesellen, die allein darüber verfügen. Man braucht gar nicht den Ursachen nachzugehen, es genügt, die Wirkungen ins Auge zu fassen. Soviel ist immer gewiß, daß, wenn der nützlichste Teil einer Nation sich enteignet findet, es zu einem solchen Stand der Dinge nur kommen konnte durch die Folge von Schwindeln, durchführbar dank Gesetzen, die der Habsucht und dem Ehrgeiz Vorschub leisten. Nun sind solche Gesetze aber mörderisch: sie sind dazu angetan, den ursprünglichen Gesellschaftsvertrag zu zerstören, der notwendigerweise auf immer und unantastbar die Befriedigung der Bedürfnisse aller und jedes einzelnen Gesellschaftsgliedes gewährleistet

(116) Die Vorstellungen eines Überganges aus einem 'Natur-' in einen 'Gesellschaftszustand' und die eines 'Gesellschaftsvertrags' hat Babeuf ohne Modifikation von Rousseau übernommen, von dem er sich jedoch in der Gegenwartsbeurteilung und erst recht in der Zukunftserwartung unterscheidet.

hat. So heißt es denn, jene Gewähr des ersten Vertrags in Anspruch zu nehmen. Zwei Dinge sind es, gegen die man sich erheben muß: gegen die Gesetze, die einer Verletzung des ursprünglichen Paktes Gültigkeit gaben, und gegen die Wirkungen eben dieser Verletzung. Wiederherzustellen sind jene heiligen Ordnungen, die einem jeden Glied der großen Familie auf immer die Gesamtheit seiner Rechte, seiner Bedürfnisse sicherstellen.

Dies also ist, zweifeln wir nicht daran, die genaue Analyse des Kriegsmanifestes, das bereits 1789 in Frankreich verkündet wurde. Dies die feierliche Kundgebung der Plebejer an die Patrizier, und der ernste Prolog zum Aufstand und zur Revolution.

Dieser Krieg der Plebejer und der Patrizier, oder der Armen und der Reichen, findet nicht erst statt seit dem Augenblick, da er erklärt wird. Er ist immerwährend, er beginnt, sobald die staatlichen Einrichtungen dahin neigen, daß die einen alles nehmen und für die anderen nichts übrigbleibt, und solange das Manifest nicht verkündigt wird, scheint das Patriziat sich kaum gegen die plebejische Erhebung zu wappnen. Es erscheint den Reichen, als sei Sicherheit vorzutäuschen, als sei das Bemühen, den Armen glaubhaft zu machen, ihre Lage sei unausweichlich in der Natur begründet, die beste Schranke gegen deren Unternehmungen. Ist aber einmal der Aufstand ausgerufen, dann entbrennt der Kampf aufs bitterste, und jede der beiden Parteien setzt alle Mittel ein, ihn zu ihren Gunsten zu wenden.

Das gemeine Volk bietet alle Tugenden auf: Gerechtigkeit, Menschenliebe, Opfermut.

Das Patriziat holt sich Hilfe bei allen verbrecherischen Lastern: bei Arglist, Doppelzüngigkeit, Verräterei, Habsucht, Hochmut, Streberei.

In einem großen Volk kann der gewaltige Prozeß, der da zwischen Bedrückern und Bedrückten anhebt, nur durch Anwälte geführt werden. Da man beiderseits weiß, daß von ihrer Sinnesart abhängen kann, welcher der Parteien sich der Sieg zuneigt, machen beide, sobald es darauf ankommt, sie auszuwählen, Anstrengungen, auf ihre Seite die größte Anzahl von Verteidigern zu ziehen, die fähig wären, ihrer Sache zu nützen.

In der Tat, überwiegt bei diesen Treuhändern die Summe der Tugenden jene der Verderbtheit, so muß das Recht siegen. Das Gegenteil hat statt, wenn die Kraft des Verbrechens stärker ist als die der Redlichkeit.

Wende ich diese Überlegungen auf die französische Revolution an, so stoße ich auf eine vollendete geschichtliche Analogie. In allen Erklärungen von Rechten, ausgenommen jene des Jahres 1795, begann man mit der Festlegung dieses ersten, dieses wichtigsten Grundsatzes ewiger Gerechtigkeit: Ziel der Gesellschaft ist das gemeine Glück. An tausend Stellen hielt man dann weiter, als notwendige Folge, jenes weitere Axiom fest: Ziel der Revolution ist: zurückzuführen zum Ziel der Gesellschaft, von dem man sich entfernt hat, d. h. zum gemeinen Glück. Mit großen Schritten und unter bedeutenden und raschen Erfolgen hat man sich diesem Ziel genähert, bis zu einem bestimmten Zeitpunkt; seitdem bewegte man sich in umgekehrter Richtung, wider das Ziel der Gesellschaft, wider das Ziel der Revolution, zum gemeinen Unglück und zum Glück nur der geringen Zahl. Bezeichnen wir diesen Zeitpunkt genauer. Sagen wir ruhig, daß die Revolution, allen Hindernissen und allen Widerständen zum Trotz, im Vordringen war bis zum 9. Thermidor [117], und daß sie seitdem zurückwich.«

(117) Am 9. Thermidor des Jahres II (= 27. Juli 1794) wurde Robespierre gestürzt.

5. Gottfried August Bürger: „Der Bauer an seinen durchlauchtigen Tyrannen[118] 1773

Wer bist du, Fürst, daß ohne Scheu
zerrollen mich dein Wagenrad,
zerschlagen darf dein Roß?

Wer bist du, Fürst, daß in mein Fleisch
dein Freund, dein Jagdhund, ungebläut
darf Klau' und Rachen haun?

Wer bist du, daß durch Saat und Forst
das Hurra deiner Jagd mich treibt,
entatmet, wie das Wild? —

Die Saat, so deine Jagd zertritt,
was Roß, und Hund, und du verschlingst,
das Brot, du Fürst, ist mein.

Du, Fürst, hast nicht, bei Egg' und Pflug,
hast nicht den Erntetag durchschwitzt.
Mein, mein ist Fleiß und Brot!

Ha! Du wärst Obrigkeit von Gott?
Gott spendet Segen aus; du raubst!
Du nicht von Gott, Tyrann!"

6. Friedrich Schiller: An Herzog Karl Eugen [118a]

„Durchlauchtigster Herzog
Gnädigster Herzog und Herr
Stuttgardt. den 1. Septemb. 1782. Sonntag.
Friedrich Schiller, Medicus bei dem löblichen General-Feldzeugmeister vom Augéischen Grenadierregiment bittet unterthänigst um die gnädigste Erlaubniß ferner litterarische Schriften bekannt machen zu dörfen.

Eine innere Ueberzeugung, daß mein Fürst, und unumschränkter Herr zugleich auch mein Vater sey, gibt mir gegenwärtig die Stärke Höchstdenenselben einige unterthänigste Vorstellungen zu machen, welche die Milderung des mir gnädigst zugekommenen Befehls: nichts litterarisches mehr zu schreiben, oder mit Ausländern zu communiciren, zur Absicht haben.

Eben diese Schriften haben mir bishero zu der, mir von Eurer Herzoglichen Durchlaucht gnädigst zuerkannten jährlichen Besoldung noch eine Zulage von fünfhundert und fünfzig Gulden verschaft, und mich in den Stand gesezt, durch Correspondenz mit auswärtigen großen Gelehrten, und Anschaffung der zum Studieren benöthigten Subsidien ein nicht unbeträchtliches Glük in der gelehrten Welt zu machen. Sollte ich dieses Hilfsmittel aufgeben müssen, so würd ich künftig gänzlich außer Stand gesezt seyn meine Studien planmäßig fortzusezen, und mich zu dem zu bilden, was ich hoffen kann zu werden.

(118) Aus: Bürger, G. A.: Sämtliche Werke, Bd. 1. Berlin 1823, S. 107 f. Zitiert nach: Klassenbuch 1. Ein Lesebuch zu den Klassenkämpfen in Deutschland 1756—1850. Sammlung Luchterhand 79, 1972.
(118a) Schillers Werke, Nationalausgabe, 23. Band. Weimar 1956, S. 38/39.

Der allgemeine Beifall, womit einige meiner Versuche vom ganzen Deutschland auf-
genommen wurden, welches ich Höchstdenenselben unterthänigst zu beweisen bereit bin,
hat mich einigermassen veranlaßt, stolz seyn zu können, daß ich von allen bisherigen
Zöglingen der grosen Karlsacademie der erste und einzige gewesen, der die Aufmerksamkeit der großen Welt angezogen, und ihr wenigstens einige Achtung abgedrungen hat
— eine Ehre, welche ganz auf den Urheber meiner Bildung zurükfällt! Hätte ich die
litterarische Freiheit zu weit getrieben, so bitte ich Ewr. Herzogliche Durchlaucht aller-
unterthänigst, mich öffentliche Rechenschaft davon geben zu lassen, und gelobe hier feier-
lich alle künftige Produkte einer scharfen Zensur zu unterwerfen.

Noch einmal wage ich es, Höchstdieselbe auf das Submisseste anzuflehen, einen gnädigen Blik auf meine unterthänigste Vorstellungen zu werfen, und mich des einzigen
Weegs nicht zu berauben, auf welchem ich mir einen Namen machen kann.

Der ich in aller devotester Submission ersterbe

Ewr. Herzoglichen Durchlaucht

unterthänigst treugehorsamster

Frid. Schiller.

Regimentsmedicus."

7. Friedrich Schiller: An Seeger [119]

„Mannheim, den 24. Sept. 1782. Dienstag.

Hochwohlgebohrener Herr,

Hochgebietender Herr Obrist,

Die Ueberzeugung, daß ich mit einem Manne rede, der Gefühl für mein Unglük und
Weißheit genug für meine Lage hat, einem Mann, der in Verbindungen eines Vaters
gegen mich steht, läßt mir jezt die Dreustigkeit zu, Hochdenenselben mein Herz aufzu-
deken, und wenn mich alle Ressourcen in der Welt verlassen, meine Zuflucht zur Groß-
muth und Edeln Denkungsart meines ehemaligen Freundes zu nehmen. Seine Herzogliche
Durchlaucht haben mir vor 4 Wochen das Herausgeben litterarischer Schriften verboten.
Da ich mir schmeichelte durch eben dergleichen Schriften den Plan der Erziehung der
in der Karlsacademie zu Grunde ligt auf eine auffallende Art gerechtfertigt, und geehrt
zu haben; da es überdiß die Gerechtigkeit gegen mein eignes Talent erfoderte, es zu
meinem Ruhm und Glük anzubauen, da die wenige Schriften, die ich biß jezt der Welt
mitgetheilt habe, meine jährliche Gage um fünfhundert Gulden jährlich vermehrt haben,
so war es mir ganz unmöglich, ein Verbot, das all diese Vortheile und Aussichten zu
Grunde richtet, ganz mit Stillschweigender Gleichgültigkeit anzunehmen. Ich habe es
gewagt Seine Herzogliche Durchlaucht unterthänigst um die gnädigste Erlaubniß an-
zusuchen, Höchstdenenselben meine Lage in einem Schreiben vor Augen zu stellen. Diese
Bitte wurde mir abgeschlagen und meinem General der Befehl gegeben mich, so bald ich
mich wieder um die Erlaubniß eines Briefs melden würde in Arrest nehmen zu lassen.
Da ich aber nun schlechterdings gezwungen bin, dieses Verbot entweder aufgehoben oder
gemildert zu sehen, so bin ich hieher geflohen um meinem gnädigsten Landesherrn meine
Noth, ohne Gefahr, vortragen zu können. Von Eurer Hochwohlgebohren aufgeklärtem
Geist, und edelm Herzen hoffe ich großmütigste Unterstüzung in meiner höchst bedräng-
ten Situation, denn ich bin der unglüklichste Flüchtling, wenn mich Serrenissimus nicht
zurükkommen lassen. Ich kenne die fremde Welt nicht, bin losgerissen von Freunden,
Familie und Vaterland, und meine wenigen Talente wägen zu wenig in der Schaale der

(119) (Anm. 118), S. 40/41.

grosen Welt, als daß ich mich auf sie verlassen könnte. Darf ich meine Zuflucht zu Ihnen nehmen verehrungswürdigster Herr. Darf ich Sie, der Sie schon so vielen Antheil an meinem Glük und meiner Bildung hatten, auch izt noch auffordern Ihre Hand nicht von einem hilflosen zu wenden, der in einem unbekannten Land alles Schuzes beraubt, Glük und Unglük von den Diensten seiner Freunde erwartet.

Ich schließe mit dieser frohen Hofnung, und habe die Gnade Euer Hochwohlgebohren in tiefstem Respekt zu versichern, daß ich nicht aufhören werde mich zu nennen

Hochwohlgebohrner Herr,

Hochgebietender Herr Obrist,

Hochderoselben unterthänig ergebenster

Frid. Schiller

Regimentsmedicus."

8. Friedrich Schiller: An Herzog Karl Eugen.[120]

„Mannheim den 24. Sept. 1782. Dienstag.

Durchlauchtigster Herzog

Gnädigster Herzog und Herr,

Das Unglük eines Unterthanen und eines Sohns kann dem gnädigsten Fürsten und Vater niemals gleichgültig seyn. Ich habe einen schröklichen Weeg gefunden, das Herz meines gnädigsten Herrn zu rühren, da mir die natürlichen bei schwerer Ahndung untersagt worden sind. Höchstdieselbe haben mir auf das strengste verboten litterarische Schriften herauszugeben, noch weniger mich mit Ausländern einzulassen. Ich habe gehoft Eurer Herzoglichen Durchlaucht Gründe von Gewicht unterthänigst dagegen vorstellen zu können, und mir daher die gnädigste Erlaubniß ausgebeten, Höchstdenenselben meine unterthänigste Bitte in einem Schreiben vortragen zu dörfen; da mir diese Bitte mit Androhung des Arrests verwaigert ward, meine Lage aber eine gnädigste Milderung dieses Verbots höchst nothwendig machte, so habe ich, von Verzweiflung gedrungen, den izigen Weeg ergriffen, Eure Herzogliche Durchlaucht mit der Stimme eines Unglüklichen um gnädigstes Gehör für meine Vorstellungen anzuflehen, die meinem Fürsten und Vater gewiß nicht gleichgültig sind.

Meine bisherigen Schriften haben mich in den Stand gesezt den Jahrgehalt, den ich von Höchstdero hoher Gnade empfing, jährlich mit 500 fl. zu verstärken welcher ansehnliche Zuschuß für meine Gelehrtenbedürfnise nothwendig war. Das Verbot, das mir das Herausgeben meiner Arbeiten legte, würde mich in meinen oeconomischen Umständen äuserst zurüksezen, und gänzlich außer Stand sezen mir ferner die Bedürfnise eines Studierenden zu verschaffen.

Zu gleicher Zeit glaubte ich es meinen Talenten, dem Fürsten der sie wekte und bildete, und der Welt die sie schäzte schuldig zu seyn, eine Laufbahn fortzusezen, auf welcher ich mir Ehre zu erwerben, und die Mühe meines gnädigsten Erziehers in etwas belohnen könnte Da ich mich bisher als den ersten und einzigen Zögling Eurer Herzoglichen Durchlaucht kannte der die Achtung der großen Welt sich erworben hat, so habe ich mich niemals gefürchtet meine Gaben für diesen Endzwek zu üben, und habe allen Stolz und alle Kraft darauf gerichtet mich hervorzuthun und dasjenige Werk zu werden, das seinen fürstlichen Meister lobte. Ich bitte Euer Herzogliche Durchlaucht in tiefster Unterthänigkeit mir zu befehlen daß ich das beweisen soll.

Ich mußte befürchten gestraft zu werden wenn ich Höchstdenenselben gegen das Verbot meine Anliegenheiten in einem Schreiben entdekte. Dieser Gefahr auszuweichen bin

(120) (Anm. 118), S. 41/43.

ich hieher geflüchtet, fest überzeugt, daß nur die unterthänigste Vorstellung meiner Gründe dazu gehört, das Herz meines Fürsten gegen mich zu mildern. Ich weiß daß ich in der grosen Welt nichts gewinnen kann, daß ich in mein grösestes Unglük stürze; ich habe keine Aussichten mehr wenn Eure Herzogliche Durchlaucht mir die Gnade verwaigern solten, mit der Erlaubniß Schriftsteller seyn zu dörfen, einigemahl mit dem Zuschuß den mir das Schreiben verschaft Reisen zu thun, die mich grose Gelehrte und Welt kennen lernen, und mich civil zu tragen welches mir die Ausübung meiner Medicin mehr erleichtert, zurükzukommen. Diese einzige Hoffnung hält mich noch in meiner schröklichen Lage. Solte sie mir fehlschlagen so wäre ich der ärmste Mensch, der verwiesen vom Herzen seines Fürsten, verbannt von den Seinigen wie ein Flüchtling umherirren muß. Aber die erhabene Großmut meines Fürsten läßt mich das Gegentheil hoffen. Würde sich Karls Gnade herablassen mir jene Punkte zu bewilligen, welcher Unterthan wäre glüklicher als ich, wie brennend solte mein Eifer seyn Karls Erziehung vor der ganzen Welt Ehre zu machen. Ich erwarte die gnädigste Antwort mit zitternder Hoffnung, ungedultig aus einem fremden Lande zu meinem Fürsten zu meinem Vaterland zu eilen, der ich in tiefster Submission und aller Empfindung eines Sohns gegen den zürnenden Vater ersterbe

Eurer Herzoglichen Durchlaucht
unterthänigsttreugehorsamster
Schiller."

9. Joachim Heinrich Campe: Brief aus Paris [121] 1789

„Wir treten aus unserem Quartier, dem Hôtel de Moscovie, auf die Straße der kleinen Augustiner (Rue des petits Augustins), welche in gerader Richtung nach dem mittäglichen Ufer der Seine läuft. Das erste, was uns außer der hin und her wallenden Volksmenge auffällt, sind die vielen dicht ineinandergeschobenen Menschengruppen, welche wir teils vor vielen Haustüren, wo entweder Bürgerwachstuben sind oder Bäcker wohnen, teils vor allen denjenigen Häusern erblicken, deren Mauern mit Affichen beklebt sind. Diese Affichen oder Bekanntmachungszettel sieht man in allen Straßen, besonders an den beiden Seitenwänden aller Eckhäuser und an dem ganzen Gemäuer aller öffentlichen Gebäude auf den Quais und sonstigen freien Plätzen, eine so unzählbare Menge, daß ein rüstiger Fußgänger und geübter Schnelleser den ganzen Tag, vom Morgen bis an den Abend, herumlaufen und lesen könnte, ohne nur mit denjenigen fertig zu werden, welche man an jedem Tage von neuem ankleben sieht.

Bald ist es der engere Ausschuß auf dem Hôtel de Ville, bald die bewaffnete Bürgerschaft überhaupt: oder die eines besonderen Distrikts insonderheit, bald sind es die Distriktsrepräsentanten in den sechzig Quartieren oder Distrikten der Stadt, welche Verordnungen und Benachrichtigungen für die Bürgerschaft anschlagen lassen, bald sind es andere Kommunen, Gesellschaften oder einzelne Personen, welche das Publikum durch Bekanntmachungszettel bald von diesem, bald von jenem, was geschehen ist oder geschehen soll, unterrichten wollen. Vor jedem mit dergleichen Zetteln, die in großen

(121) Campe, J. H.: Briefe aus Paris — während der französischen Revolution geschrieben, hrsg. von Helmut König. Berlin (Ost) 1961, S. 147 ff. Zitiert nach: Klassenbuch 1. Ein Lesebuch zu den Klassenkämpfen in Deutschland 1756—1850, hrsg. von Hans Magnus Enzensberger u. a. Sammlung Luchterhand 79. Neuwied 1972.
Auf die Nachricht vom Beginn der Französischen Revolution verließ Campe, Schriftsteller und Verlagsbesitzer, Braunschweig und reiste nach Paris, „um dem Leichenbegängnis des französischen Despotismus beizuwohnen". Seine Berichte über die Ereignisse in Paris veröffentlichte Campe in Briefform.

Bogen, mit großer Schrift gedruckt, bestehn, beklebten Hause sieht man ein unendlich buntes und vermischtes Publikum von Lastträgern und feinen Herrn, von Fischweibern und artigen Damen, von Soldaten und Priestern, in dicken, aber immer friedlichen und fast vertraulichen Haufen versammelt, alle mit emporgerichteten Häuptern, alle mit gierigen Blicken den Inhalt der Zettel verschlingend, bald leise, bald mit lauter Stimme lesend, darüber urteilend und debattierend. Zehn oder zwanzig Schritte weiter hin stößt man auf einen anderen ebenso bunten und vermischten Haufen, der einen an die Mauer gelehnten Tisch mit einer kleinen Verdachung umgibt, worauf die fliegenden Blätter und Broschüren des Tages feilgeboten werden, welche zu ebender Zeit von vielen hundert Kolporteuren durch alle Straßen der Stadt, nicht bloß dem Titel, sondern oft auch dem Hauptinhalte nach, ausgeschrien werden. Auffallend und befremdend für den Ausländer ist hier der Anblick ganz gemeiner Menschen aus der allerniedrigsten Volksklasse, zum Beispiel der Wasserträger, welche die Küchen aller Häuser der Stadt, wohin keine Wasserleitungen führen, mit dem unreinen Seinewasser versorgen — auffallend, sage ich, ist es, zu sehen, welchen warmen Anteil sogar auch diese Leute, die größtenteils weder lesen noch schreiben können, jetzt an den öffentlichen Angelegenheiten nehmen, zu sehen, wie sie ihre Eimer wohl zwanzigmal in einer und ebenderselben Straße niedersetzen, um erst zu hören, was der Kolporteur ausruft oder was etwa einer von denen, welche vor den Bekanntmachungszetteln sich angehäuft haben, mit lauter Stimme abliest und was von anderen darüber geurteilt und vernünftelt wird, zu sehen — was ich mehrmals beobachtet habe —, wie vier, fünf oder sechs solcher armseligen Lastträger mit einem ihrer Kameraden, der den seltenen Vorzug besitzt, Gedrucktes lesen zu können, in Verbindung treten, ihre Liards zusammenlegen, sich dafür gemeinschaftlich eins der fliegenden Blätter oder der kleinen Broschüren des Tages kaufen und nun zwischen ihren Eimern oder sonstigen Lasten sich dicht zusammenstellen, um dem vorlesenden gelehrten Kameraden mit vorgehaltenem Ohre, starren Augen und offenem Munde zuzuhören.

Mit Erstaunen bemerkte ich vor einigen Tagen, daß die Broschüre, welche ein solcher Straßenklub von Wasserträgern, Savoyarden und anderem Pariser Pöbel sich vorlesen ließ, einer von den Entwürfen der ‚Déclarations des droits des Hommes' war, welche einige Mitglieder der Nationalversammlung in Vorschlag gebracht hatten und drucken ließen, bevor die Versammlung darüber zu Rate gegangen war und entschieden hatte. Lastträger sich mit den Rechten der Menschheit unterhalten zu sehen; welch ein Schauspiel!"

Anmerkungen: Hôtel de Ville: Rathaus, Sitz des Stadtrats / Kolporteure: die Buchhändler für den Straßenverkauf waren unter dem feudalen Regime Frankreichs in einer Innung organisiert, die im Wettlauf gegen die Polizei die illegale Produktion von Schriften der Aufklärung an den Mann brachte / Savoyarden: Bewohner des Herzogtums Savoyen, angewiesen auf Arbeit außer Landes / Déclaration des droits des Hommes: Erklärung der Menschenrechte / Liard: kleine französische Münze.

10. Friedrich Cotta: „Wie gut es die Leute am Rhein und an der Mosel jetzt haben können[122] 1792

Lieben Leute!
Ihr habt neulich aus einem großen Bogen, welcher überall angeschlagen und verlesen ward, die Staatsverfassung von Frankreich kennengelernt. Ohne Zweifel habt Ihr daraus

(122) In: Mainz zwischen Rot und Schwarz — Die Mainzer Revolution 1792—1793 in Schriften, Reden und Briefen, hrsg. von Claus Träger. Berlin (Ost) 1963, S. 300 ff. Zitiert nach: Klassenbuch 1 (Anm. 121).

ersehen, daß dieselbe nur das Beste des Volkes wolle und daß Ihr also Euern Zustand um ein Merkliches verbessert, wenn auch Ihr nach derselben leben wollt; und doch glaube ich nicht, daß Ihr alle die Übel erwogen habt, denen Ihr entgehen werdet, wenn Ihr Euch zu dieser Verfassung bekennet.

Hört mich, lieben Leute! Ich meine es von Herzen gut mit Euch, seufzte lange mit Euch unter demselben Joche und wünsche nun, daß auch Ihr glücklich sein möget, wie ich es selbst bin. Wir wollen einmal die Hindernisse miteinander durchgehen, aus welchen zeither Euer Gewerb, Euere Hantierung, Euer Feldbau nicht zum völligen Wohlstande kommen, warum dieselben Euch und Euere Familien nicht so gut erhalten konnten, wie Ihr es doch von Euerm Fleiße erwarten durftet. Laßt uns nur einige derselben aufsuchen und sehen, ob sie denn auch in der fränkischen Verfassung stattfinden.

Die zeitherigen Hindernisse Eures größern Wohlstandes sind:

1. *Die Leibeigenschaft.* Da betrachtet man unseres Herrn Gottes freie Menschen wie ein Stück Vieh, welches keinen eigenen Willen hat, und läßt die Leute nicht einmal unentgeltlich sterben, sondern nimmt noch dem Witwer oder der Witwe und den Waisen ein Stück Geld dafür ab, daß Vater oder Mutter gestorben ist; die armen verlassenen Kinder müssen wieder leibeigen sein und sogar, wenn sie in eine nicht leibeigene Gemeinde ziehen wollen, fünfzehn Prozent ihres Vermögens zurücklassen. Bei der neuen Einrichtung von Frankreich fällt das alles weg; da ist kein Mensch leibeigen; da wird jeder frei geboren und darf unentgeltlich sterben; da kann er von einem Orte in den andern ziehen und dort Bürger werden, ohne daß es ihn etwas kostet.

2. *Das Mann- oder Kopfgeld.* Da ist man nicht zufrieden mit der ordentlichen Schatzung, welche freilich bei keiner Verfassung aufhören kann, weil davon die allgemeinen Ausgaben, zum Beispiel Euere Beamten und so weiter, bezahlt werden müssen, sondern man preßt auch noch jedem Landmanne, er sei Bürger oder Beisaß, arm oder reich, noch monatliche zwölf Kreuzer widerrechtlich ab. Das gilt bei der neuen Einrichtung von Frankreich nicht; wer seine Abgaben bezahlt, dem fordert man sonst weiter nichts ab. Er braucht weiter nichts zu geben, selbst dem Geistlichen nicht, er mag nun in die Welt kommen oder aus derselben gehen, er mag heiraten oder taufen lassen, selbst dem Richter nichts, der ihm unentgeltlich, und zwar in kürzester Zeit, Recht sprechen muß.

3. *Die herrschaftlichen Fronden.* Haben doch die sogenannten großen Herren so viele Bedienten und eine so erstaunlich große Besoldung und verlangen dennoch, der arme Landmann solle seine Wirtschaft, seinen Pflug etc. stehenlassen und für sie umsonst arbeiten, Fuhren leisten, ihnen und ihren Jägern bei der Jagd helfen etc. Das alles ist bei der neuen Einrichtung von Frankreich abgeschafft; wer etwas will machen lassen, der mag sich dazu für Geld und gute Worte Leute suchen, und wer jagen will, darf niemand zumuten, er solle ihm dabei helfen. Ein anderes sind Arbeiten für das Volk selbst, wie zum Beispiele die Arbeiten zu Kastel bei Mainz jetzt sind; aber das sind auch Arbeiten, wozu jeder Patriot, jeder, dem an Verteidigung seiner Person und seines Eigentums gelegen, verbunden ist, und obendrein wird man noch dafür bezahlt; das heißt also nicht fronen.

4. *Die Herrschaftsschäfereien.* Wenn so ein Kurfürst, Fürst oder Graf Schafe halten will, so hält er sie auf des armen Landmanns Kosten; der wird dadurch gehindert, sein Feld so zu bauen, wie er es für gut hält, und muß es wegen der Herrschaftsschäferei ohne Not brachliegen lassen; oder, wenn er das nicht will, so ist kein anderes Mittel, als daß er die Schäferei in Bestand nimmt und ein großes Bestandgeld zahlt, aber damit ist seinen Nachbarn noch nicht geholfen, wenn sie nicht auch den Bestand übernehmen. Auch davon weiß die neue Einrichtung von Frankreich nichts, jeder darf sein Feldstück bauen, wann er will und mit was er will, und wer Schafe halten will, kann das auch tun, aber ohne seinem Nachbarn damit zuleid zu leben.

5. *Der Wildschaden.* Wenn so ein guter fleißiger Bauer sein Stück Land mit aller Sorgfalt angebauet hat, wenn er sich schon auf den schönen Gottessegen freuet, welcher ihm für seinen Schweiß zuteil werden soll, so kommen, daß es Gott erbarme, des gnädigsten Herrn Hirsche und Schweine und verderben oft in einer Nacht, was den Bauern mit Weib und Kindern ein ganzes Jahr lang nähren sollte. Will er das verhüten, so muß er, müd von des Tages Arbeit, nachts das Feld hüten, und das hilft doch noch oft nichts. Aber auch das ist bei der neuen Einrichtung von Frankreich ganz anders; da gehört das Wild jedermann, jedermann darf sich davon fangen und erlegen, was er will und kann. Wer Wild hegen will und einen eigenen Wald dazu hat, muß eine große Wand darumführen, damit das Wild nicht herausbreche; und geschieht das einmal, so darf der nächste beste das Wild erlegen; hat es aber Schaden getan, so muß der Herr des Wildes ihn bei Heller und Pfennig ersetzen.

6. *Zoll von eigenem Wachstum.* Das ist gar toll, daß von dem, was der Landbauer pflanzt oder der Handwerker macht, er noch Zoll dafür geben solle, daß er es an einem andern Orte verkauft und dafür Geld in das Land bringt. Nach der neuen Einrichtung von Frankreich zahlt man nur für entbehrliche Sachen, welche außer Landes hereinkommen, oder für Sachen, welche durch das Land geführt werden, Zoll, und der ist mäßig, wird noch mäßiger werden und darf eben einmal für allemal an der Grenze bezahlt werden. Ebensowenig hat man nach der neuen Einrichtung von Frankreich ein *Chausseegeld, Weggeld, Akzis, Umgeld* und dergleichen von den unchristlichen Volksfeinden erfundene Nebenabgaben zu bezahlen.

Eine große Sünde ist

7. *Der Judenleibzoll.* Als ob die Israeliten nicht ebenso Menschen wie andere, sondern ein Handlungsartikel wären. Sie können nach der neuen Einrichtung von Frankreich ebenso wie die Christen frei hin und her passieren.

8. *Militärdienst.* Da muß jeder gewisse Jahre lang als Soldat dienen oder sich davon sogar im Falle, daß er von Natur nicht dazu taugt, loskaufen, kann während der Dienstzeit den alten Vater oder die brotlose Mutter nicht unterstützen, muß in der Garnison seine Zeit unnütz zubringen. Oh, das ist in Frankreich ganz anders seit der neuen Einrichtung. Jeder Bürger wird da bewaffnet, aber nur, um als Nationalgarde die Ordnung und Ruhe innerhalb seines Dorfs oder seiner Stadt mit den andern Bürgern erhalten zu helfen, und wer den Dienst gerade nicht selbst versehen kann, schickt seinen Sohn oder Bruder oder einen Nachbar. Dieser Dienst kömmt jedoch nur etwa jeden Monat einmal auf 12 oder 24 Stunden an ihn; in das Feld aber zu ziehen, wird darum keiner gezwungen, sondern man nimmt zu Soldaten nur die an, welche sich ganz freiwillig dazu verstehen, und dann dienen sie zu Verteidigung des Vaterlandes, nicht aber dem Eigennutz eines Kaisers, der Eitelkeit, Herrschsucht oder Rachgierde eines Kurfürsten, dem Hochmut eines Fürsten oder Grafen oder zur Parade für einen Magistrat.

Auch den

9. *Herrschaftszehenten* hat die neue Einrichtung von Frankreich zum Besten des Landmanns ganz abgeschafft. Zehenten freilich, wovon fromme Stiftungen mancher Art erhalten werden, sind ebenfalls abzuschaffen, wenn die neue Einrichtung von Frankreich auch zwischen dem Rhein und der Mosel vollends eingeführt wird; aber es kann nur nicht auf einmal geschehen, weil sonst manche fromme Stiftung zugrund gehen müßte. Hingegen gibt es auch allerhand Mittel und Wege, wie man den Landmann unterdessen, bis jeder Zehente abgeschafft wird, dieserwegen erleichtern und entschädigen kann, und welche Gemeinde unterdessen sich mit dem bisherigen Empfänger des Zehenten oder Zehentherrn dahin abfinden will, daß der Zehente sogleich aufhören kann, die wird dabei von dem Oberbeamten der Republik in Mainz, Worms, Speyer und andern Orten bestens unterstützt werden.

Sehet, lieben Leute zwischen dem Rhein und der Mosel, das sind etliche Hauptübel, welche Euch unterdessen schwer drückten, von welchen Ihr aber alsdann befreit werdet, wenn Ihr die neue Einrichtung von Frankreich annehmet. Denn diese neue Einrichtung ist ganz zum Vorteile des ehmals so verachteten und nun in Frankreich wieder in seinen gehörigen Wert gesetzten Bauern- und Handwerksstandes oder der sonst sogenannten gemeinen Leute gemacht.

Urteilt jetzt selbst, lieben Leute, welche Einrichtung besser sei, Eure zeitherige oder die von Frankreich. Zwar wird mancher von Euch sagen: Ich sehe noch nicht, worin unser Zustand gebessert sei, seitdem die Franken in unserm Lande sind. So ganz unrecht habt Ihr darin nicht; allein, lieben Leute, Ihr habt ja auch noch nicht gesagt, wenigstens der größte Teil von Euch hat noch nicht gesagt: Wir wollen Franken sein, wir wollen in Zukunft mit der großen Frankenfamilie nur eine ausmachen. Nur dann erst, wenn Ihr Euch so erklärt habt, wenn Ihr die fränkische Verfassung annehmen wollt, nur dann erst könnt Ihr die Vorteile derselben genießen. Oder wollt Ihr etwa ernten, ehe Ihr gesäet habt? Aber Ihr werdet nun über Euren Vorteil selbst nachdenken und bald einsehen, daß Ihr nirgends sicherer und zufriedener als unter dem Schutze Eurer Nachbarn, der Franken, sein könnet, und dann selbst bei den Bevollmächtigten und Stellvertretern des Frankenvolkes einkommen, Euch in ihrem Bund aufzunehmen."

Anmerkungen: Hantierung: Gewerbe, Geschäft, Handel / Schatzung: Vermögenssteuer / Beisaß: Einwohner ohne volles Bürgerrecht, meist ohne Grundbesitz, mit Schutzrechten der Stadt / Chausseegeld, Weggeld: Abgabe für die Benutzung von Straßen / Akzise: Steuer auf Waren, die in die Stadt eingeführt werden, vor allem auf Lebensmittel / Umgeld: Getränkesteuer, entstanden aus einer direkten Abgabe von Getränken, die in die Stadt eingeführt wurden / Judenleibzoll: aus der Handelssteuer entstanden, schließlich jedem durchreisenden Juden auferlegt / Zehnt: Abgabe an die Kirche, z. B. von Getreide und Vieh, ersetzt durch Bezahlung von bestimmten Geldsummen.

11. Adolf Freiherr Knigge: „Bemerkungen über gewaltsame Revolutionen überhaupt[123]
1792

Nichts kommt mir alberner vor, als wenn man sich in moralischen und politischen Gemeinsprüchen über die Befugnisse und Nichtbefugnisse einer ganzen Nation, ihre Regierungsform zu ändern, ergießt; wenn man darüber raisoniert, *was* ein Volk, wenn es sich empört, hätte tun sollen, und *wie* es hätte besser und gelinder handeln können und sollen, und ob zu viel oder zu wenig Blut dabei vergossen worden. Ja! Wenn von einem Plane die Rede ist, den ein einzelner Mann entwirft; wenn die Frage ist: ob Brissac recht und weise handelte, als er, ehe Heinrich der Vierte sich auf dem Throne befestigt hatte, über dem Entwurfe brütete, aus Frankreich eine freie Republik zu machen; dann läßt sich vielleicht entscheiden, inwiefern er dazu Befugnis und Veranlassung hatte, ob er, bei der damaligen Stimmung und politischen Lage der Nation, sich mit einem glücklichen Erfolge schmeicheln durfte, oder nicht, und welche Mittel er hätte anwenden sollen und können, um seinen Zweck zu erreichen; wenn aber ein ganzes Volk durch eine lange Reihe von wirkenden Ursachen dahin gebracht ist, seine bisherige Regierungsform, die nicht genügte, die nicht in die jetzigen Zeiten, nicht zu dem gegenwärtigen Grade der Kultur paßte, in welcher sich der große Teil der Bürger unglücklich fühlte, mit Gewalt über den Haufen zu werfen; wenn sie alle hierzu durch einen Geist belebt werden, den ihre elende, verzweifelte Lage in ihnen erweckt hat; wenn dies also nicht nach einem bestimmt angeordneten Plane, sondern durch einen Windstoß geschieht, der auf einmal das Feuer, das lange unter der Asche geglimmt hatte, in helle Flammen auflodern macht — wer kann da Ordnung fordern? wer kann da bestimmen, ob zu viel, oder zu wenig geschieht?

Schreibe dem Meere vor, wie weit es fortströmen soll, wenn es den Damm durchbricht, den Jahrhunderte untergraben haben!

Und wenn auch bei solchen gewaltsamen Umwälzungen Szenen vorfallen, bei deren Anblick die Menschheit zurückschaudert; wer trägt dann die Schuld dieser Gräuel? Ganz gewiß mehr die, gegen welche man sich empört, (oder vielleicht ihre Väter) als die Empörer selbst. [...] Die Menschen im Ganzen lieben Ruhe und Frieden, setzen nicht leicht den mäßigen aber sicheren Genuß des Gegenwärtigen auf's Spiel, bei der Aussicht eines mühsam zu erkämpfenden ungewissen Künftigen; allein wenn der Despotismus es dahin gebracht hat, daß die Staatsverfassung einem Kriege Aller gegen Alle ähnlich sieht; wenn jeder nimmt, wo er ungestraft nehmen darf, niemand Gesetze anerkennt, sobald er sich Impunität erschleichen, ertrotzen oder erwürgen kann; wenn kein Eigentum mehr respektiert wird; wenn kein Bürger sicher ist, den Erwerb seines Fleißes vor den Klauen der Raubtiere bewahren zu können; wenn man endlich doch Leben und Freiheit wagt, man spiele das große Spiel mit, oder nicht — wer wird es dann auch dem Sanftmütigsten zum Verbrechen machen wollen, daß er, statt sich geduldig schinden zu lassen, mit dreinschlägt, mit zugreift, da, wo so viel zu gewinnen, und keine andere Gefahr zu laufen ist, als die ihm, nicht weniger, täglich in seiner friedlichen Hütte drohte, als er sich auch nicht regte?"

Anmerkung: Impunität: Straffreiheit.

12. Georg Friedrich Rebmann: „Hütten und Paläste in Berlin [124] 1793

Wir wollen miteinander die lange Friedrichsstraße durchgehen, die sich zumal bei Nacht wegen der beinah unabsehlichen Laternen-Reihen so schön ausnimmt. Vor dem schönen Teile derselben, so wie vor dem niedlichen Häuschen der Madame Schupitz wandeln wir vorbei und befinden uns nach einer starken halben Stunde am Ende derselben, unweit des Tors. Wenn jemand einen Fremden durch den Schlag einer Zauberrute hierher versetzte und ihn fragte, wo er sich zu befinden glaube, so würde er wohl eher auf ein mittelmäßiges Dorf, als auf eine Königsstadt raten. Nun aber erst vollends die Strahlauer Vorstadt! Blicke noch einmal zurück auf jene Paläste, blicke auf die geputzten Spaziergänger und dann schnell, ohne dein Auge zu wenden, hierher! Hierher auf die jämmerlichen Hütten, die den halbnackten Bewohnern den Einsturz drohen, auf Menschen, die unter schnarrenden Strumpfwirkerstühlen mit Mühe durch ununterbrochene sitzende Arbeit sich vom Hungertode zu retten vermögen, auf verkrüppelte Kinder, schmutzig und blaß — kurz auf lauter Gegenstücke, die ein feindseliger Zauberer dir auf jene Bilder der Pracht und des Reichtums vors Auge gestellt zu haben scheint. An jenem Ende der Stadt betäube dich das Rasseln der Karossen, hier hörst du nur das Seufzen einer Mutter, die für ihre Kleinen kein Brot hat, oder höchstens die einförmige Melodie eines geistlichen Liedes, die den Magen zur Ruhe lullen soll — dort stauntest du über die prächtige Livree des Läufers, hier muß eine arme Familie die Materialien dazu um einen unglaublich geringen Preis verarbeiten, damit der Kaufmann dem Müßiggänger, der seinen Bedienten mit Aufwand einer Summe kleidet, wovon diese arme Familie ein Jahr lang lebt, desto

(123) In: Knigge, A. F.: Josephs von Wurmbrand, Kaiserlich abyssinischen Ex-Ministers, jezzigen Notarii caesarii publici in der Reichsstadt Bopfingen, Politisches Glaubensbekenntniß, mit Hinsicht auf die französische Revolution und deren Folgen, hrsg. von G. Steiner. Frankfurt/Main 1968, S. 29 f. Zitiert nach: Klassenbuch 1 (Anm. 121).
(124) In: Rebmann, G. F.: Kosmopolitische Wanderungen. Frankfurt/Main 1968, S. 95 ff. Zitiert nach: Klassenbuch 1 (Anm. 121).

leichter und länger Kredit geben kann — die Federn, die auf der Promenade vom Kopf der stolzen Fabrikantin herabwehten, triefen vom Schweiße dieser Unglücklichen, deren vielleicht jeder in dieser Woche einige gehoffte Groschen weniger erhält, damit jene dann am Sonntage desto leichter einige Louisd'ors verspielen kann — hier verkauft eine verzweifelnde Muter ihre einzige Tochter ins Freudenhaus, weiht sie zum Opfer des Lasters, um Brot auf einige Wochen zu haben, während unter den Linden die Kupplerin das durch den Menschenhandel gewonnene Geld mit einem bezahlten — — durchbringt. Oh, Freund! jene Päläste in eine und die Tränen dieser Unglücklichen in die andere Schale, welche wiegt schwerer, die des menschlichen Glücks oder die des menschlichen Elends? Und hier ist das verborgene, tiefversteckte Elend der, dem Äußern nach so prunkenden Mittelklasse noch nicht mit gezählt!

Ich bin, wahrlich! nichts weniger als Empfindler, aber ich habe ein menschliches Herz und sehe bis auf diesen Tag, so viel Mühe ich mir auch gegeben habe, nicht ein, warum gerade der Mann, der sechzehn Ahnen zählt, oder der, dessen Großvater es vielleicht gelang, seine Mitmenschen um einige Millionen zu betrügen, von dem Augenblick an, da er das Licht der Welt erblickt, Anspruch auf Glück und auf die *ausschließenden Mittel*, zu Erdenglück zu gelangen, haben soll, während hundert andre, vom nämlichen Augenblick an, zu unübersehbarem Elend bestimmt zu sein scheinen und ihnen auch die Mittel, sich empor zu schwingen, verschlossen sind. Dies Mißverhältnis möcht ich doch wohl nicht gerne für ursprüngliche Bestimmung halten, und ehe ich glaube, daß es absolut unverbesserlich ist, möcht' ich doch lieber glauben, daß es hypothetisch, (d. h. durch unsere Verfassung) unverbesserlich geworden sei. Den theologischen Gemeinspruch, daß in jener Welt die Ordnung der Dinge umgekehrt werden solle, will ich mir verbitten, denn, wenn ich ihn auch von Herzen gerne ganz unangetastet lasse, so sehe ich doch immer nicht ein, warum Glück in jener Welt Unglück in dieser voraussetzen müsse!"
Anmerkungen: Madame Schupitz: Berliner Kupplerin / Louisd'or: französische Goldmünze.

13. Karl Biedermann: „Deutschlands politische, materielle und soziale Zustände im 18. Jahrhundert [125] 1880

[...] *Absolutistische Neigungen der Aufklärer*
Der herrschende Drang nach Aufklärung selbst mußte dazu dienen, dem absolutistischen Zuge des deutschen Volksgeistes Vorschub zu leisten. Man hatte noch nicht gelernt, daß wahre Aufklärung so wenig wie wahre Freiheit sich einer Nation von oben her verleihen oder einimpfen läßt, daß beide nur das Werk einer langsamen und mühevollen Entwickelung von innen heraus, durch die eignen Anstrengungen der Völker, sein können. Man wollte alsbald die Früchte des ausgestreuten Samens pflücken; man war ungeduldig, die Hindernisse des Besserwerdens rasch beseitigt zu sehen. So warf man sich dem allmächtigen Despotismus in die Arme, welcher allein stark genug schien, das schwere Werk der Säuberung des Augiasstalles voll Aberglaubens und Geistesbeschränktheit zu vollbringen; so erhob man jeden Fürsten zum Himmel, welcher die neuen Ideen zur Geltung brachte, mochte dies auch mit noch so despotischen Mitteln geschehen — oder vielmehr, je despotischer, d. h. je hastiger, je rücksichtsloser, je gewaltsamer, desto besser!
Einfluß der schönen Literatur auf die politische Gleichgültigkeit des Volkes.
Ein anderer Theil der hervorragenden Geister jener Zeit, die Schöpfer einer neuen litera-

(125) Biedermann, Karl: Deutschland im 18. Jahrhundert, Bd. 1: Deutschlands politische, materielle und soziale Zustände im 18. Jahrhundert. Neudruck der 2. Auflage, Leipzig 1880. Scientia Verlag, Aalen 1969, S. 163—167; S. 368/69.

rischen Periode, hegten gegen alles, was staatliche und bürgerliche Interessen betraf, eine tiefe Verachtung und bestärkten so durch Beispiel und Lehre das Volk in der politischen Unthätigkeit und Gleichgültigkeit, zu welcher dasselbe ohnehin so viel Neigung hatte.

Mangel eines kräftigen Gewerbestandes.

Jener kräftige, intelligente, durch Besitz und freie Gewerbsthätigkeit unabhängige Mittelstand, welcher in den modernen Staaten der hauptsächlichste Träger politischer Bildung und Willenskraft zu sein pflegt, war während des vorigen Jahrhunderts in Deutschland nur in vereinzelten und darum einflußlosen Elementen vorhanden. Das alte, auf die eigene Kraft stolze Bürgerthum war selbst in den freien Reichsstädten kaum noch zu finden; die Wehen des dreißigjährigen Krieges hatten es fast überall entwurzelt. Der an seine Stelle getretene Gewerbs- und Handelsstand in den monarchischen Staaten hatte ganz andere Grundlagen seiner materiellen Existenz; er hing fast durchweg, mittelbar oder unmittelbar, von der Gunst der Fürsten, der Höfe, der Regierungsbehörden oder einzelner Beamten ab; er hatte von diesen Seiten her für seine Geschäftsunternehmungen Unterstützung zu hoffen oder Hemmung zu fürchten. Ein großer Theil der Handwerker lebte von dem Erwerbe, welchen der Luxus der vielen Höfe und des zahlreichen verschwenderischen Adels ihm zuwendete, und war daher von diesen Kreisen abhängig; der Fabrikant mußte sich der Gunst der Behörden zu versichern suchen, um Privilegien, Vorschüsse, Zollfreiheiten zu erlangen; der Kaufmann durfte es mit den Accisebeamten nicht verderben, um nicht der Vortheile eines einträglichen Schmuggelgeschäfts verlustig zu gehen. So waren mehr oder weniger alle Klassen der Gewerbtreibenden durch ihr Interesse an die Träger des herrschenden Systems, ja sogar an dessen Mißbräuche gefesselt und konnten daher kaum ernstlich daran denken, gegen dieses System oder gegen diese Mißbräuche aufzutreten.

Gedrücktheit der ländlichen Bevölkerung.

Eine andere Klasse der Gesellschaft, die in unsrer Zeit einen nicht unwichtigen Antheil an der Entwickelung des öffentlichen Lebens hat, der Bauernstand, existirte damals politisch noch so gut wie gar nicht. Durch jahrhundertelangen Druck feudaler Abhängigkeit in Stumpfsinn und Entkräftung versunken, ließ der Bauer mit dumpfer Resignation alles über sich ergehen, war der 'gnädigen Gutsherrschaft' für jede Linderung seines harten Looses, für jeden Nachlaß oder jede minder gestrenge Eintreibung seiner schweren Verpflichtungen wie für eine unverdiente Gunst fußfällig dankbar, zitterte vor jedem gutsherrlichen Vogt und jedem landesherrlichen Beamten, und suchte nur zuweilen, wenn der Druck gar zu unerträglich ward, in roher Selbsthülfe sich Recht zu verschaffen, wie 1775 in den böhmischen, 1790 in den sächsischen Bauernunruhen.

Ursachen und Charakter der Anhänglichkeit der untern Klassen an die Person des Regenten.

Die ganze Bevölkerung eines deutschen Landes der damaligen Zeit zerfiel so ziemlich in zwei große Gruppen, von denen die eine irgendwie an den Vortheilen und Begünstigungen der herrschenden Kreise Theil nahm, somit bei der Erhaltung des Uebergewichts dieser interessirt war, die andere aber, beinahe schutzlos, auf Gnade und Ungnade, den herrschenden Gewalten überantwortet, in fatalistischer Ergebenheit und Unterwürfigkeit zu ihren Gebietern emporblickte. Für diese letztere Klasse war die Person des Fürsten immer noch der einzige Schutz und Halt, an welchen sie mit ihren Klagen und Beschwerden, ihren Hoffnungen und Wünschen sich anklammerte. ‚Ach wenn es nur der König wüßte!‘ war ein oft gehörter Stoßseufzer im Munde der Unterthanen Friedrich's II., und Friedrich sorgte dafür, daß auch der geringste dieser Unterthanen, wenn er sich an ihn wandte, sicher sein konnte, von ihm gehört zu werden und einen Bescheid auf seine Klagen oder Bitten unmittelbar aus königlichem Munde zu erhalten. Aber auch da, wo das Land unter den Launen und Leidenschaften eines schlechten Regenten seufzte, pflegte das

Volk solche Bedrückungen lediglich den Umgebungen und Dienern des Fürsten anzurechnen, diesen selbst als nicht dafür verantwortlich, als getäuscht oder mißleitet zu betrachten, daher auch ihm gegenüber nach wie vor in der angestammten Ergebenheit und Anhänglichkeit zu verharren. ‚Der Fürst wäre wol gut, wenn nur seine Diener ihn besser beriethen‘, lautete wol dann der Spruch, womit man sich der Hoffnung eines endlichen Durchbruchs der bessern Natur des Fürsten getröstete oder sein eignes empörtes Gefühl mit der angewöhnten und anerzogenen Pflicht des leidenden Unterthanengehorsams auszusöhnen suchte. So konnte es kommen, daß selbst in den schlimmsten Zeiten der Regierung Herzogs Carl in Würtemberg, selbst bei dem ärgsten Beamtendrucke und der greulichsten Verschwendung unter Carl Theodor von Baiern dennoch die Bevölkerungen beider Länder, wie Reisende verwundert bemerkten [126], mit unveränderter Anhänglichkeit und Treue von ihren Fürsten sprachen, ihren ganzen Unmuth nur gegen deren Beamtenschaft kehrend.

Charakteristik der einzelnen Staaten in Bezug auf den politischen Geist ihrer Bevölkerung.

Natürlich wirkten alle die geschilderten Ursachen politischer Unselbständigkeit und Gleichgültigkeit doppelt stark in den kleinen und kleinsten Ländern, am allerstärksten in jenen winzigen reichsgräflichen, reichsritterschaftlichen und stiftischen Territorien, in denen eine dünne und in der Regel wenig wohlhabende Bevölkerung einem im Verhältniß zu ihr unmäßig zahlreichen Hof- und Beamtenpersonal gegenüberstand.

Die kleinen und mittleren Staaten.

Am ärgsten mochte es daher in dieser Hinsicht in jenem südwestlichen Winkel Deutschlands, Oberschwaben, aussehen, wo eine Unzahl solcher winziger Gebiete, von keinem größeren Staatswesen unterbrochen, sich an einander drängte. Ein Reisender der damaligen Zeit [127] schildert die dortige Bevölkerung als politisch völlig verwahrlost. Kein Volk sei so wenig von seinem Vaterlande, von seiner Gesetzgebung unterrichtet; die Leute wüßten kaum, ob der Staat von einem gemeinschaftlichen Oberhaupte regiert werde, und würden den Namen ihres Landesherrn nicht kennen, wenn sie ihn nicht auf den Steuerpatenten läsen. Zur Unterdrückung geboren, erhebe sich ihr Geist nicht von der Erde.

Viel besser freilich stand es auch in Würtemberg und Baiern nicht, und selbst von den Sachsen urtheilte Mirabeau [128], sie wären so erfüllt von dem Geschmacke und den Ideen des Hofes, daß sie nichts Höheres kännten, als Glanz und Vornehmheit, und unzufrieden sein würden, wenn ein ökonomischer Fürst wirklich große Dinge vollführen wollte, statt den Schein der Macht in solchen Aeußerlichkeiten zu suchen. In den Gegenden Deutschlands, wo natürlicher Wohlstand oder angeerbte Gewerbsthätigkeit der Bevölkerung eine größere Selbständigkeit verlieh, oder wo häufigere Berührungen mit den allgemeinen Weltzuständen ihren Geist vielseitiger anregten, wie z. B. am Unterrhein, war auch eine etwas lebendigere Betheiligung an den öffentlichen Angelegenheiten, ein etwas freierer politischer Sinn zu finden. [...]

(126) (Originalfußnote) Z. B. der Verf. der ‚Briefe eines reisenden Franzosen über Deutschland‘ (Risbeck). — „Carl Theodor genoß, wie die meisten Fürsten seiner Zeit, das Glück, daß man ihm nur das Gute zuschrieb, das Schlimme als wider seinen Willen geschehen ansah", sagt Häusser in seiner ‚Geschichte der Pfalz‘, 2. Bd., S. 956.

(127) (Originalfußnote) Anselmus Rabiosus: Kreuz- und Querzüge durch Deutschland, 1778.

(128) (Originalfußnote) De la monarchie prussienne, IV. Buch.

Besitzverhältnisse der verschiedenen Klassen der Bevölkerung im 18. Jahrhundert.
Die Vertheilung des Erwerbes und Besitzes unter die verschiedenen Klassen der Bevölkerung — eines der wichtigsten Momente der materiellen Culturentwickelung — war im vorigen Jahrhunderte entschieden viel mangelhafter, als heutzutage. Wie alle künstlichen nationalökonomischen Systeme, so hatte auch das damals in fast allen deutschen Staaten herrschende System der Leitung und Begünstigung der Industrie von Staatswegen zur natürlichen Folge die Bereicherung einer Anzahl von Gewerbsunternehmern [129], die Ansammlung der Capitalien an einzelnen Punkten und in einzelnen Händen. Eben darauf hin wirkte die Finanzwirthschaft der damaligen Zeit, welche aus allen Theilen des Landes das Geld in die fürstlichen Kassen zu leiten suchte, aber nur ein geringes Quantum davon wieder ebendorthin, woher sie es gezogen, austheilte, ein weit größeres in der nächsten Umgebung des Fürsten zurückhielt, auch wol (für die damals vorzugsweise gesuchten fremden Luxusartikel) ins Ausland entsandte. Die unvollkommenen, zum Theil geradezu widersinnigen Grundsätze der Besteuerung, welche das tägliche Brod des Armen vertheuerten, das Vermögen des Reichen dagegen oft kaum antasteten, trugen gleichfalls dazu bei, die Ungleichheit der Vermögenszustände immermehr zu steigern. [...]"

14. Friedrich Engels: „Über den Verfall des Feudalismus und das Aufkommen der Bourgeoisie [130] 1884

Während die wüsten Kämpfe des herrschenden Feudaladels das Mittelalter mit ihrem Lärm erfüllten, hatte die stille Arbeit der unterdrückten Klassen in ganz Westeuropa das Feudalsystem untergraben, hatte Zustände geschaffen, in denen für den Feudalherrn immer weniger Platz blieb. Auf dem Lande freilich trieben die adligen Herren noch ihr Wesen, peinigten die Leibeigenen, schwelgten von ihrem Schweiß, ritten ihre Saaten nieder, vergewaltigten ihre Weiber und Töchter. Aber ringsherum hatten sich Städte erhoben; in Italien, Südfrankreich, am Rhein altrömische Munizipien, aus ihrer Asche erstanden; anderswo, namentlich im Innern Deutschlands, neue Schöpfungen; immer eingeringt in schirmende Mauern und Gräben, Festungen, weit stärker als die Burgen des Adels, weil bezwingbar nur durch ein großes Heer. Hinter diesen Mauern und Gräben entwickelte sich — zunft-bürgerlich und kleinlich genug — das mittelalterliche Handwerk, sammelte sich die ersten Kapitalien an, entsprang das Bedürfnis des Verkehrs der Städte untereinander und mit der übrigen Welt, und, mit dem Bedürfnis, allmählich auch die Mittel, diesen Verkehr zu schützen.
Im fünfzehnten Jahrhundert waren die Städtebürger bereits unentbehrlicher in der Gesellschaft geworden als der Feudaladel. Zwar war der Ackerbau noch immer die Beschäftigung der großen Masse der Bevölkerung und damit der Hauptproduktionszweig. Aber die paar vereinzelten Freibauern, die sich hie und da noch gegen die Anmaßungen des Adels erhalten, bewiesen hinreichend, daß beim Ackerbau nicht die Bärenhäuterei und

(129) (Originalfußnote) Auffallend ist die große Zahl von Gratificationen, Prämien, Vorschüssen u. s. w., welche von den Regierungen an einzelne Gewerbsunternehmer zur Einrichtung neuer Gewerbsvorrichtungen, Herstellung bestimmter Erzeugnisse der Industrie etc. gegeben werden. Man sieht daraus, wie wenig damals noch die Industrie auf eignen Füßen stand, oder doch wie verwöhnt die Bevölkerung war, ihren Verdienst von oben her zu erwarten, statt ihn sich selbst zu verdanken. Im Leipziger Rathsarchiv finden sich zahlreiche darauf bezügliche Actenstücke („Handelssachen", Acta 41, 42, 50, 51, 53, 54, 58 etc.). Natürlich wird das nicht blos in Leipzig so gewesen sein.
(130) Marx, Karl/Engels, Friedrich: Werke Bd. 21, Dietz-Verlag, Berlin 1962, S. 392 bis 394. Zitiert nach: Klassenbuch 1 (Anm. 121).

die Erpressungen des Adligen die Hauptsache sei, sondern die Arbeit des Bauern. Und dann hatten sich die Bedürfnisse auch des Adels so vermehrt und verändert, daß selbst ihm die Städte unentbehrlich geworden; bezog er doch sein einziges Produktionswerkzeug, seinen Panzer und seine Waffen, aus den Städten! Einheimische Tuche, Möbel und Schmucksachen, italienische Seidenzeuge, Brabanter Spitzen, nordische Pelze, arabische Wohlgerüche, levantinische Früchte, indische Gewürze — alles, nur die Seife nicht — kaufte er von den Städtern. Ein gewisser Welthandel hatte sich entwickelt; die Italiener befuhren das Mittelmeer und darüber hinaus die atlantischen Küsten bis Flandern, die Hanseaten beherrschten bei aufkommender holländischer und englischer Konkurrenz noch immer Nord- und Ostsee. Zwischen den nördlichen und südlichen Zentren des Seeverkehrs wurde die Verbindung über Land erhalten; die Straßen, auf denen diese Verbindung stattfand, gingen durch Deutschland. Während der Adel immer überflüssiger und der Entwicklung hinderlicher, wurden so die Städtebürger die Klasse, in der die Fortentwicklung der Produktion und des Verkehrs, der Bildung, der sozialen und politischen Institutionen sich verkörpert fand.

Alle diese Fortschritte der Produktion und des Austausches waren in der Tat, nach heutigen Begriffen, sehr beschränkter Natur. Die Produktion blieb gebannt in die Form des reinen Zunfthandwerks, behielt also selbst noch einen feudalen Charakter; der Handel blieb innerhalb der europäischen Gewässer und ging nicht über die levantischen Küstenstädte hinaus, in denen er die Produkte des Fernen Ostens eintauschte. Aber kleinlich und beschränkt, wie die Gewerbe und mit ihnen die gewerbetreibenden Bürger blieben, sie reichten hin, die feudale Gesellschaft umzuwälzen, und sie blieben wenigstens in der Bewegung, während der Adel stagnierte.

Dabei hatte die Bürgerschaft der Städte eine gewaltige Waffe gegen den Feudalismus — *das Geld*. In der feudalen Musterwirtschaft des frühen Mittelalters war für das Geld kaum Platz gewesen. Der Feudalherr bezog von seinen Leibeigenen alles, was er brauchte; entweder in der Form von Arbeit oder in der von fertigem Produkt; die Weiber spannen und woben den Flachs und die Wolle und machten die Kleider; die Männer bestellten das Feld; die Kinder hüteten das Vieh des Herrn, sammelten ihm Waldfrüchte, Vogelnester, Streu; die ganze Familie hatte außerdem noch Korn, Obst, Eier, Butter, Käse, Geflügel, Jungvieh und was nicht alles noch einzuliefern. Jede Feudalherrschaft genügte sich selbst; sogar die Kriegsleistungen wurden in Produkten eingefordert; Verkehr, Austausch war nicht vorhanden, Geld überflüssig. Europa war auf eine so niedrige Stufe herabgedrückt, hatte so sehr wieder von vorn angefangen, daß das Geld damals weit weniger eine gesellschaftliche als eine bloß politische Funktion hatte: Es diente zum *Steuerzahlen* und wurde hauptsächlich erworben durch *Raub*.

Alles das war jetzt anders. Geld war wieder allgemeines Austauschmittel geworden, und damit hatte sich seine Masse bedeutend vermehrt; auch der Adel konnte es nicht mehr entbehren, und da er wenig oder nichts zu verkaufen hatte, da auch das Rauben jetzt nicht ganz so leicht mehr war, mußte er sich entschließen, vom bürgerlichen Wucherer zu borgen. Lange ehe die Ritterburgen von den neuen Geschützen in Bresche gelegt, waren sie schon vom Geld unterminiert; in der Tat, das Schießpulver war sozusagen bloß der Gerichtsvollzieher im Dienst des Geldes. Das Geld war der große, politische Gleichmachungshobel der Bürgerschaft. Überall, wo ein persönliches Verhältnis durch ein Geldverhältnis, eine Naturalleistung durch eine Geldleistung verdrängt wurde, da trat ein bürgerliches Verhältnis an die Stelle eines feudalen. Zwar blieb die alte brutale Naturalwirtschaft auf dem Lande in bei weitem den meisten Fällen bestehn; aber schon gab es ganze Distrikte, wo, wie in Holland, in Belgien, am Niederrhein, die Bauern den Herren Geld statt Fronden und Naturalabgaben entrichteten, wo Herren und Untertanen schon den ersten entscheidenden Schritt getan hatten zum Übergang in Grundbesitzer und Pächter, wo also auch auf dem Lande den politischen Einrichtungen des Feudalismus ihre gesellschaftliche Grundlage abhanden kam."

15. Werner Sombart: „Die deutsche Volkswirtschaft im neunzehnten Jahrhundert[131] 1913

[...] Ich glaube, wenn man nach den sozialen Klassen Umschau halten wollte, die Deutschland im Anfange des vorigen Jahrhunderts aufzuweisen hatte, so würde man nur zwei gewahr werden: das Feudalagrariertum (nebst seinen Hintersassen) und das Handwerkertum (nebst seinen Hilfspersonen). Wenigstens waren die übrigen noch zu keiner selbständigen Geltung gekommen. Wir dürfen dies aus mehreren Anzeichen schließen. Daraus wohl zunächst, daß wir aus der Zeit der liberalen Reformen, die doch in erster Linie der Bourgeoisie hätten nützen sollen, von irgendwelchen Lebensäußerungen dieser Klasse so gut wie gar nichts vernehmen. Wir hören wohl gelegentlich von Petitionen der Handwerker und Gewerberealberechtigten gegen die Einführung der Gewerbefreiheit in Preußen, aber von einer Gegenbewegung der Bourgeoisie verlautet meines Wissens nichts. Wir erinnern uns dann der Mühe, die es Friedrich List kostete, ein paar Leute auf die Beine zu bringen, die seine Industrie- und Verkehrspläne unterstützen sollten.

Wir denken aber vor allem an das Spiegelbild, das die damalige deutsche Gesellschaft in den Schilderungen der Dichter, in den Theorien der sozialen Theoretiker findet.

Soviel ich sehe, ist bis in die Mitte des Jahrhunderts allen Darstellungen unserer sozialen Zustände eine Dreiteilung der Bevölkerung eigentümlich, die wohl unter dem Einflusse der französischen Lehre von den trois états zustande gekommen ist, aber eine eigenartige, den deutschen Verhältnissen angepaßte Umgestaltung erfährt. Es ist die Einteilung in Adel, Volk und Mittelstand oder Mittelklasse. Im Adel haben wir die Gentilhommerie zu suchen, in der wohl der größte Teil des alten städtischen Patriziats aufgegangen war; im Volke vor allem das Handwerkertum als Hauptbestandteil und was sich etwa an Proletariat schon vorfand. Letzteres galt als quantité negligeable. Noch Bluntschli konnte es als die Aufgabe des Staatsmanns bezeichnen, ‚das Proletariat möglichst in den übrigen Ständen oder Klassen unterzubringen (!) und so sein besonderes Wachstum zu hemmen'. Das, meint er, sei nicht schwer, denn ‚das Proletariat besteht zumeist aus den Abfällen (!) der andern Berufsklassen. Die vermögenslosen und vereinzelten (!) Teile der Bevölkerung, die sich deshalb auch der befestigten Ordnung sicher entziehen, heißen wir das Proletariat'. Will man auch von dieser Darstellung ein gut Teil der Seichtheit ihres Verfassers zugute schreiben, so bleibt doch sicher noch ein Rest, der sich aus der damaligen Gesellschaftsstruktur erklärt.

Im Mittelstande aber vereinigte sich in der Auffassung jener früheren Zeiten alles, was nicht zum Adel und nicht zum niederen Volk gehörte. Er trug in unserem Sinne kein ausgesprochenes Klassengepräge, sondern erschien bald mehr als Gruppe aller mittelmäßig begüterten Personen, bald mehr als die der Gebildeten. So sahen die Goethe, Niebuhr, Humboldt, Hegel ihre Zeit an, wenn beispielsweise Goethe (im ‚Bürgergeneral') von dem ‚hübschen, wohlhabenden Mittelstand' als von der Schlippermilch spricht, die übrig bleibt, nachdem der saure Rahm (die Reichen) abgeschöpft ist; oder (in seinen Bemerkungen über 'Deutsche Literatur') von den ‚Bemühungen' (um die deutsche Sprache), ‚welche nunmehr der ganzen Nation, besonders aber einem gewissen Mittelstande zugute gehen, wie ich ihn im besten Sinne des Wortes nennen möchte'. ‚Hierzu gehören', fährt er dann fort, ‚die Bewohner kleiner Städte, deren Deutschland so viele wohlgelegene, wohlbestellte zählt. Alle Beamten mit Unterbeamten daselbst, Handelsleute, Fabri-

(131) Sombart, Werner: Die deutsche Volkswirtschaft im neunzehnten Jahrhundert. Georg Bondi, Berlin ³1913, S. 443—45.

kanten, vorzüglich Frauen und Töchter solcher Familien, auch Landgeistliche, sofern sie Erzieher sind an Personen, die sich zwar in beschränkten, aber doch wohlhäbigen, auch ein sittliches Behagen fördernden Verhältnissen befinden.' Das ist derselbe Mittelstand, ,in welchen (nach dem Ausdruck Hegels) die gebildete Intelligenz und das rechtliche Bewußtsein des Volkes fällt', der nur entstehen kann ,durch die Berechtigung besonderer Kreise, die relativ unabhängig sind, und durch eine Beamtenwelt, deren Willkür sich an solchen Berechtigten bricht.'

Unentwickelt, wie die modernen Klassen selber waren, trat auch ihr Gegensatz noch nicht merkbar hervor und wurde von den Unterschieden der Bildung, des Besitzes, des Berufes, des politischen oder religiösen Glaubensbekenntnisses überwuchert. Gewiß hatte Lorenz von Stein recht, wenn er im Jahre 1842 schrieb, daß man in Deutschland eine Theorie der Gesellschaft noch nicht besitze oder auch ihren Mangel nicht fühle, ,weil das Leben der Gesellschaft und der Kampf ihrer Elemente zu keiner selbständigen Entwicklung gekommen' sei. In den Märztagen des Jahres 1848 ging dann ein erstes Ahnen von den gewaltigen Umgestaltungen auf, die in dem Bau der Gesellschaft sich zu vollziehen eben begonnen hatten.

Im Grunde bringen diese Feststellungen demjenigen nichts Neues, der dieses Werk aufmerksam gelesen hat. Denn ein großer Teil seines Inhalts erschöpft sich ja in dem Nachweise, daß erst dem neunzehnten Jahrhundert, genauer: dessen zweiter Hälfte, es vorbehalten war, das kapitalistische Wirtschaftssystem in Deutschland zu allgemeiner Verbreitung zu bringen. Also konnten auch bis um die Mitte des Jahrhunderts jene sozialen Klassen noch nicht hervortreten, die Positiv und Negativ dieses Wirtschaftssystemes bilden. Während mit der Schilderung des Werdens und Wachsens des Kapitalismus, wie sie im voraufgehenden Buche zu geben versucht wurde, auch schon der Nachweis geführt ist, daß nun der wesentliche Inhalt der gesellschaftlichen Neugestaltung, die das letzte halbe Jahrhundert Deutschland brachte, eben die Herausbildung der beiden modernen sozialen Klassen: der Bourgeoisie und des Proletariats, gewesen ist. [...]"

III. Vermittlung mit dem Geschichtsprozeß der Überlieferung:

Auch für die historisch-kritische Analyse der Überlieferungs-, Wirkungs- und Rezeptionsgeschichte, deren Intentionen und Methode ausführlich dargestellt worden sind, müssen entsprechende Materialien, die sich hierzu reichlich darbieten, beigezogen und ausgewertet werden.

Um zu zeigen, wie dabei verfahren werden kann, sollen einige Gesichtspunkte für die Organisation der Material-Beistellung angeführt werden.

1. Allgemeine und öffentliche Schiller-Überlieferung (in diesem Zusammenhang darf allerdings nicht vergessen werden, daß es sich hier wie auch bei den anderen Ausrichtungen der Überlieferung meistens um eine spezifisch eingeschränkte, eben die bürgerliche Öffentlichkeit handelt): sie läßt sich stellvertretend in den Veranstaltungen, Festreden etc. der 'Schillerjahre' fassen, in deren Artikulation die jeweils herrschenden gesellschaftlichen Verwertungsinteressen, die zugleich ein Spiegel der politischen Entwicklung sind, sich ausdrücklich kundgeben.
2. Inszenierungen, Regiebücher, Rezensionen.
3. Literaturgeschichtliche Darstellungen.
4. Theater-Spielpläne, Aufführungsstatistiken.

5. Lesersoziologische Untersuchungen.
6. Bildungspläne, Aufsatzthemen.

Zu 1.: Öffentliche Schiller-Überlieferung (z. B. 'Schillerjahre')

Aus der ‚Neuen Preußischen Zeitung': Zur Schiller-Feier [132] 1859

„Also gegen die *Schillerfeier*? und gegen *Schiller*? — aus diesen beiden Fragen *eine* zu machen und dann auf beide *bejahend* zu antworten, das scheint, wo nicht der Hauptzweck, so doch eine nicht ganz unerhebliche Nebenrücksicht der gegenwärtigen 'nationalen' Huldigungen für den Genius des Deutschen Dichters zu sein. Jedenfalls haben die ersten Unternehmer der Schillerfeier in *Berlin* es so einzurichten gewußt, daß die Deutsche und christliche, also die konservative Gesinnung, sich mit Notwendigkeit davon abwenden mußte; hiernach war es leicht, sie beim 'Volke' als dem großen nationalen Dichter feindlich zu denunzieren oder sie, wie das neuerdings von den Liberalen zu ihrem Schutz so fest in Anspruch genommene Gesetz sagt, 'dem Haß und der Verachtung' preiszugeben.

Wir wollen uns indessen erlauben, jene beiden Fragen zu *teilen*, und uns zuvörderst aussprechen über die *Feier*, so wie sie ursprünglich beabsichtigt war.

Sehr richtig bemerkt das Nathusiussche ‚Volksblatt' [133], daß wohl die Säkularfeier einer großen Begebenheit, nicht aber die der Geburt eines großen *Mannes* einen besondern Sinn habe, und es möchte hinzuzufügen sein, daß eine besonders feierliche Begehung von Schillers hundertjährigem Geburtstage gerade in *Berlin* ebenfalls einen besondern Sinn nicht habe. Dennoch würde auch hier gegen das Anknüpfen einer Feier an den immerhin zufälligen Säkulartag nichts zu erinnern sein, wenn in der ganzen Sache von der *Wahrheit*, der *Schiller* nachstrebte, von der hohen *Schönheit,* in der er lebte und webte, etwas zu finden wäre. Wenn je ein Dichter die Urania verehrte und die Vulgivaga verabscheute, wenn einer das Wort *odi profanum vulgus et arceo* an der Stirn trug, — so war es *Schiller*. Diesen Schiller nun bei seinem hundertjährigen Geburtstag zu feiern, treten Männer aus allen gebildeten Ständen zusammen, Kaufleute, Fabrikanten, Bankiers, Beamte, Gelehrte, Literaten, Advokaten und Künstler (unter welchen letzteren

(132) Neue Preußische Zeitung Nr. 263, 10. 11. 1859. Zitiert nach: Schiller — Zeitgenosse aller Epochen. Dokumente zur Wirkungsgeschichte Schillers in Deutschland, hrsg. von Norbert Oellers, Teil I. Frankfurt 1970, S. 466—472. Der Verfasser des Artikels ist nicht bekannt. — Die ‚Neue Preußische Zeitung', die gewöhnlich — nach dem Eisernen Kreuz im Titelkopf — ‚Kreuzzeitung' genannt wurde, war 1848 gleichsam zum Schutz des Königtums gegründet worden und hatte sich in kurzer Zeit zu einem einflußreichen Organ der Konservativen, des altpreußischen Adels, der kirchlichen Orthodoxie entwickelt. Des Beifalls der Regierung, die sie vertrat, gewiß, griff sie heftig liberale und demokratische Tendenzen in der Politik und im Pressewesen an und stellte sich den Einigungsbestrebungen in Deutschland mit Entschiedenheit entgegen. Fontane war einige Zeit Mitarbeiter des Blattes; auch Bismarck, der Freund Hermann Wageners, des ersten Redakteurs der Zeitung, meldete sich hier häufig zu Wort. — Zum Schillerfest bezog das Blatt eindeutig Stellung: Es mißbilligte öffentliche Kundgebungen, die nationale Begeisterung erwecken konnten; es warf Juden, Geschäftsleuten und liberalen Politikern vor, sie trieben Mißbrauch mit dem Namen des Dichters; es bedauerte die Entscheidung der Berliner Behörden, öffentliche Festzüge zu gestatten. Am 12. November berichtete die Zeitung über Ausschreitungen, die sich am 10. zugetragen hatten, — entrüstet, aber mit merklicher Genugtuung.
(133) Philipp Engelhard von Nathusius (1815—1872) war Herausgeber des ‚Volksblatts für Stadt und Land'.

jedoch gerade die ersten Namen größtenteils vermißt werden), und sie entbieten dazu das ganze Volk, und zwar nach Ständen gegliedert, darunter auch die Handwerker, denen der Dichter in dem ‚Liede von der Glocke‘ ihre volle Ehre gegeben. Was würde wohl aus Schillers Geist gegen ein so volkstümliches, so echt nationales Fest zu erinnern sein? —

Zunächst fällt es freilich auf und gibt der Sache eine ganz eigene, nicht eben Deutsche Färbung, daß, ähnlich wie bei den *politischen* Nationalitätsbestrebungen, so auch bei der Feier dieses gewiß doch *Deutschen* Dichters, das Element des *modernen Judentums,* (dort der Vaterlandsjude, hier der Kunst- und Literaturjude) mit seinem reformatorischen Lichte eine so hervorragende Stellung einnimmt. Und auch außerdem sind vorzugsweise solche Stände dabei vertreten, die sonst das Leben mehr von der nutzbaren und reellen, als von der künstlerischen und idealen Seite aufzufassen pflegen, und wenn es schon nichts Neues ist,

Morgens zum Geschäft der Börse,
Abends auf den Helikon [134],

so möchten doch gerade diese Herren vom *Geschäft* am wenigsten legitimiert sein zur Feier des *idealsten* unter den Deutschen Dichtern.

Nun aber die zur Feier entbotenen Gäste, das Volk in Masse! —

O sprich mir nicht von jener bunten Menge,
Bei deren Anblick uns der Geist entflieht [135],

so sagt Schillers Doppelgestirn *Goethe* von jenen guten Leuten, aber schlechten Musikanten, im einzelnen leidlich verständlich, aber als Ganzes verkehrt, ‚halb sind sie kalt, halb sind sie roh‘ [136] und wie die Worte im Vorspiel zum ‚Faust‘ weiter lauten — *sie* sollten das Andenken Schillers in rechtem Verständnis feiern können? *sie* sollten überhaupt Sinne haben für einen *Dichter?* Mag es noch so wahr sein, daß Ahnung und Dichtung tief im Deutschen Wesen liegen, — seit die Volkspoesie Jahrhunderte lang verkümmert worden, ist unser Volk auch in dieser Beziehung entdeutscht. Eine lebendige Deutsche Volkspoesie gibt es fast nicht mehr; mit der Kunstpoesie aber, sosehr sie auch zum größten Teil aus dem ureignen Deutschen Geiste hervorgegangen, steht das *Volk* in keinem lebendigen Zusammenhang, und die von den ‘gebildeten Ständen’ verfügte Schillerfeier würde es, trotz noch so glänzender Illuminationen, nicht dafür erleuchtet haben. [...]“

„[...] Aus allen diesen Gründen nahmen wir, einige anderweite Kennzeichen von mehr spezifisch politischer Natur mit Stillschweigen übergehend, keinen Anstand, die Schillerfeier, so wie sie von dem *Komitee* zuerst in Vorschlag gebracht war, als eine Partei-Demonstration des Liberalismus zu bezeichnen. Hierzu berechtigte uns ganz besonders der Umstand, daß, bevor unsererseits auch nur ein Wort darüber gesprochen war, die ‘kleine Partei’, als der Schillerfeier abgeneigt, und wieder einmal in Widerspruch mit den Sympathien des gesamten Deutschen Volkes hingestellt wurde. Wir nahmen den in dieser Weise uns zugeworfenen Fehdehandschuh mit den Worten Wallensteins an den Pater Lamormain auf [137], und rechtfertigten den bekannten Schluß jener Apostrophe damit, daß das verehrliche Komitee in allen Stücken so ziemlich Bankerott gemacht hat.

Wie aber die *konservative Partei* und besonders diejenige Richtung in derselben, welche den Hauptnachdruck auf das *Christentum* legt, über Schiller urteilt, das möge

(134) Vgl. Platens ‚Verhängnisvolle Gabel‘, V. 227: „Morgens zur Kanzlei mit Akten, abends auf den Helikon!“
(135) Faust. Eine Tragödie, V. 59—60.
(136) (Anm. 135), V. 124.
(137) Vgl. ‚Die Piccolomini‘, V. 1239—1271 (II,7).

72

man aus der ‚Geschichte der Deutschen Nationalliteratur‘ von *Vilmar* [138] ersehen, dem gewiß niemand die Zugehörigkeit zur christlich-konservativen Partei absprechen wird. Vilmar stimmt mit allen Literarhistorikern, auch mit denen der entgegengesetzten Richtung, dahin überein, daß Schillers *erste* dramatischen Werke (‚Die Räuber‘, ‚Fiesko‘, ‚Kabale und Liebe‘), die dem Dichter die Sympathien des Konvents und das Französische Bürgerrecht erworben haben, geniale aber unreife Produkte seien; und er fügt die sehr richtige Bemerkung hinzu, daß Schiller, seiner harmlos idealen Natur gemäß, umgekehrt wie die Französische Revolution, von einem individuellen und gewaltsamen Bekämpfen drückender aber einmal vorhandener Ordnungen, im ‚Don Carlos‘ zum Prinzipienkampf übergegangen sei, womit aber seine politische Opposition, wenn man sie so nennen darf, abgeschlossen war. [139] Sein und Goethes Verhältnis zum Christentum betreffend, so ist das Ergebnis von Vilmars Betrachtungen dieses: *Goethe,* durch Jugendverhältnisse und Verbindungen, und ebenso durch das ihm eigentümliche Anerkennen des Vorhandenen und sein Eingehen darin, dem Christentum ursprünglich näher stehend als *Schiller,* ist allmählich in eine pantheistische Richtung hineingeraten, und aus dieser, bei aller Lebenswärme und objektiv poetischer Begeisterung, mehr und mehr in den Zustand sittlicher Gleichgültigkeit und Erschlaffung. *Schiller* dagegen hat von Anbeginn eine mehr kritische und rationalistische Stellung eingenommen, hat aber aus diesem an sich kälteren und trockneren Boden, im Gegensatze zu Goethe, zur höchsten idealen und sittlichen Begeisterung sich erhoben. [140] [...]

[...] Was die obenerwähnte politische Opposition Schillers betrifft, die in seinen frühesten Werken am schärfsten hervortritt, das Verneinen des Bestehenden, ausgedrückt durch die feine Schurkerei der Besitzenden und Gewalthabenden einerseits, und durch das edle Verbrechen oder den einfachen Edelmut ohne Verbrechen andererseits, so ist darüber zunächst zu bemerken, daß Schiller, und zwar auch hier im Gegensatz zu Goethe, seine Laufbahn als Stubengelehrter und Stubendichter begonnen hat, daß er die Welt nur wenig kannte und deshalb in die Verhältnisse, wie sie ihm damals erschienen und teilweise auch wohl wirklich waren, seine Ideale hineinträgt — hohe, reine und edle, aber unreife Ideale. Und ferner: Waren denn die Zustände, wie Schiller sie bekämpft, in unserem Sinne *konservative* zu nennen? Hatten nicht die Deutschen Fürsten, indem sie den Bahnen des gekrönten Vaters der Revolution, Ludwigs XIV., folgten, dessen Wahlspruch: *l'état c'est moi,* wohl das Unkonservativeste ist, was jemals ein König gesprochen — hatten nicht jene Fürsten das Bewußtsein von *gegenseitigen* Rechten, und von einer dem *Recht* entsprechenden *Pflicht* verloren? Huldigten sie nicht im besten Fall, wenn sie das Wohl ihrer Völker fördern wollten, der Theorie vom obersten Staatsdiener und zugleich dem plattesten Materialismus? Hatten sie nicht meistens an Gesinnung, Sprache und Sitte, ja auch an Sittlichkeit aufgehört, *Deutsche* Fürsten zu sein? War der Adel noch, was er sein sollte, oder war er nicht fast überall zum Dienst der Willkür und der Bürokratie herabgesunken, deren bevorzugte Häupter er bildete? Hatte nicht in Schillers Heimat ein jüdischer Günstling den Staat gelenkt? [141] War mit andern Französischen Moden nicht die Maitressenherrschaft eingeführt? Hatte nicht der Hohenasperg unter

---

(138) August Friedrich Christian Vilmars Literaturgeschichte war zuerst unter dem Titel ‚Vorlesungen über die Geschichte der deutschen National-Literatur‘ (Marburg und Leipzig 1845) erschienen; seit der 3. Auflage (1848) hieß sie ‚Geschichte der deutschen National-Literatur‘.
(139) Vgl. Vilmar: Vorlesungen (Anm. 138), S. 577—582.
(140) (Anm. 138), S. 598—599.
(141) Der Jude Joseph Süß-Oppenheimer (1692—1738), der Ratgeber und rücksichtslose Finanzminister des Herzogs Karl Alexander.

seinen Gefangenen Männer der entschiedensten christlichen und konservativen Gesinnung?[142] — Wenn man nach solchen Zuständen die Opposition eines unerfahrenen für das Wahre und Rechte glühenden Jünglings ermißt, so bleibt wohl nicht die mindeste Ähnlichkeit übrig mit demjenigen, was man *heutzutage* Opposition nennt. Auch sind Worte, wie Schiller sie z. B. in ‚Kabale und Liebe‘ sagen läßt: ‚Meinen Degen gab mir der Staat durch die Hand des Fürsten, mein Herz Gott, mein Wappen ein halbes Jahrtausend‘[143], — nicht die eines modernen Liberalen oder Demokraten. Ebenso war Karl Moor ein ziemlich aristokratischer Räuber, und die Republikaner im ‚Fiesko‘ lehnten sich auf gegen eine ungeschichtliche und liberale Despotie.

Nach alle diesem dürften Schillers Jugendschriften weniger aus politischen und stofflichen, als aus künstlerischen und formellen Gründen zu tadeln sein, und in solchem Tadel sind die liberalen gegen die konservativen Kritiker nicht zurückgeblieben.

Aus den *späteren* Dramen fällt die Blumenlese für den Liberalismus äußerst dürftig aus und würde sich höchstens auf einige allgemeine und abstrakte Freiheitsworte beschränken, während wir durchaus konkrete Stellen von einem nicht der Freiheit, wohl aber dem Liberalismus entgegengesetzten Sinne, in Menge nachweisen könnten. [...]“

Zu 2.: Inszenierungen und Rezensionen

In der Gegenüberstellung verschiedener (auch theaterhistorisch relevanter) Inszenierungsmodelle werden überlieferungsgeschichtliche Momente und Tendenzen insbesondere manifest. Dabei darf natürlich nicht vergessen werden, daß bestimmte Inszenierungen auch dann als Indizien der Überlieferungs- und Wirkungsgeschichte dienlich sind, wenn sie bewußt gegen die jeweils herrschenden Interessen der Überlieferung und die eingefahrenen Rezeptionsformen konzipiert sind.

Eine Beispiel-Reihe, an deren Anfang ein Brief Schillers an Dalberg stehen soll, kann das verdeutlichen:

2.1. Friedrich Schiller: „An Wolfgang Heribert von Dalberg[144]

Stuttgardt d. 12. Xbr. 81. Mittwoch.

Mit der von E. Excellenz in Rüksicht auf den Verlag meines Schauspiels getroffenen Veränderung bin ich vollkommen zufrieden, besonders da ich sehe daß durch dieselbe zwei von sich sehr verschieden gewesene Interessen vereinigt worden sind, ohne jedoch wie ich hoffe die Folgen und den Success meines Schauspiels zu unterdrüken. E. Excellenz berühren einige sehr wichtige Veränderungen die meine Arbeit von Ihren Händen erlitten hat und ich finde diese Sache in ansehung meiner wichtig genug etwas weitläufftig dabei zu seyn. Gleich Anfangs gesteh ich Ihnen aufrichtig, daß ich die Zurüksezung der Geschichte meines Stüks in die Epoche des gestifteten Landfriedens und unterdrükten

---

(142) Die berühmtesten Gefangenen auf dem Hohenasperg waren Schubart und der Sozialökonom Friedrich List, der 1824/25 eine Freiheitsstrafe verbüßte. 1804 war Leo von Seckendorff, 1804/05 Hölderlins Freund Isaak von Sinclair, 1824—1826 Gustav Eduard Kolb, der spätere Chefredakteur der ‚Allgemeinen Zeitung‘, 1837 Berthold Auerbach inhaftiert. Vgl. Theodor Schön: Die Staatsgefangenen auf Hohenasperg. Stuttgart 1899.

(143) Vgl. ‚Kabale und Liebe‘ II,3 (NA 5, S. 32).

(144) Schillers Werke. Nationalausgabe. 23. Band, Weimar 1956, S. 24—27.

Faustrechts — die ganze dardurch entsprungene neue Anlage des Schauspiels für unendlich beßer als die meinige halte, und halten muß, wenn ich vielleicht dardurch mein ganzes Schauspiel verlieren sollte. Allerdings ist der Einwurf, daß schwerlich in unserm
hellem Jahrhundert, bey unserer abgeschliffenen Polizey, und Bestimtheit der Geseze
eine solche meisterlose Rotte gleichsam im Schoos der Geseze entstehen noch viel weniger
einwurzeln und einige Jahre aufrecht stehen könnte, allerdings ist dieser Vorwurf gegründet, und ich wüßte nichts dagegen zu sezen, als die Freiheit der Dichtkunst, die
Wahrscheinlichkeiten der Wirklichen Welt in den Rang der Wahrheit, und die Möglichkeit derselben in den Rang der Wahrscheinlichkeit erheben zu dörfen. Diese Entschuldi-
gung befriedigt allerdings die Größe des Gegentheils nicht. Wenn ich Euer Excellenz
aber dieses zugebe, (und ich gebe es mit Wahrheit und ungeheuchelter Überzeugung zu.)
Was wird folgen? — Gewiß nichts anders als daß mein Schauspiel einen großen Fehler
bei der Geburt bekommen, einen eigentlichen angebornen Fehler den die Hand der
feinsten Chirurgie ewig nicht ausmerzen wird — einen Fehler den es wenn ich so sagen
darf, ins Grab mitnehmen muß, weil er in sein Grundwesen verflochten ist, und nicht
ohne Destruktion des ganzen aufgehoben werden kann. Ich will mich E. E. näher zu
erklären wagen.

I. Sprechen alle meine Personen zu modern, zu aufgeklärt für die damalige Zeit. Der
Dialoge ist gar nicht derselbe. Die Simplicitaet, die uns der Verfaßer des Göz von Ber-
lichingen so lebhaft gezeichnet hat, fehlt ganz. Viele Tiraden, kleine und große Züge,
Karaktere sogar sind aus dem Schoos unserer gegenwärtigen Welt herausgehoben, und
taugten nichts in dem Maximilianischen Alter. Mit einem Worte, es ginge dem Stük wie
einem Holzstich den ich in einer Ausgabe des Virgils gefunden. Die Trojaner hatten
schöne Husarenstiefel, und der König Agamemnon führte ein paar Pistolen in seinem
Hulfter. Ich beginge ein Verbrechen gegen die Zeiten Maximilians, um einem Fehler
gegen die Zeiten Friderichs II. auszuweichen.

II. Meine ganze Episode mit Amaliens Liebe spielte gegen die einfache Ritterliebe der
damaligen Zeit einen abscheulichen Kontrast. Amalia müßte schlechterdings in ein Ritter-
fräulein umgeschmolzen werden, und Sie sehen von selbsten, dieser Karakter, diese Gattung Liebe die in meiner Arbeit herrscht ist in das ganze Gemälde der Räuber Moors,
ja in das ganze Stük so tief und allgemein hinein kolorirt daß man das ganze Gemäld
übermalen muß um es auszulöschen. So verhält es sich auch mit dem ganzen Karakter
Franzens, diesem spekulativischen Bösewicht, diesem metaphysisch-spizfündigen Schurken. Ich glaube mit einem Wort sagen zu können, diese Versezung meines Stüks, welche
ihm vor der Ausarbeitung den grösesten Glanz und die höchste Vollkommenheit würde
gegeben haben, macht es nunmehr, da es schon angelegt und vollendet ist zu einem fehler-
vollen und anstößigen Quodlibet, zu einer Krähe mit Pfauenfedern.

Verzeihen Euer Excellenz dem Vater diese eifrige Fürsprache für sein Kind. Es sind
nur Worte, und allerdings kann jedwedes Theater mit den Schauspielern anfangen was es
will, der Autor muß sichs gefallen laßen, und ein Glük ist es für den Verfaßer der Räuber, daß er in die besten Hände gefallen ist. Dieses einige werd ich mir von H. Schwan
ausbedingen, daß es wenigstens nach der 1sten Anlage drukt. Auf dem Theater prae-
tendire ich keine Stimme.

Die Zwote Haupt Veränderung mit der Ermordung Amaliens interessirte mich fast
noch mehr. Glauben mir E. E. es war dieses derjenige Theil meines Schauspiels der mich
am meisten Anstrengung und Ueberlegung gekostet hat, davon das Resultat kein anderes
war, als dieses, daß Moor seine Amalie ermorden muß, und daß dieses eine positive
Schönheit seines Karakters ist, die einerseits den feurigsten Liebhaber andrerseits den
Banditenführer mit dem lebhafftesten Kolorit auszeichnet. Doch ich würde die Recht-
fertigung dieser Stelle in keinem Briefe erschöpffen. Übrigens sind die wenigen Worte,

davon E. E. in Ihrem Briefe Meldung gethan fürtrefflich, und der ganzen Situation werth. Ich würde stolz darauf seyn, sie gemacht zu haben.

Da mir H. Schwan auch schreibt das Stük würde mit der Musik und den unentbehrlichsten Pausen gegen 5 Stunden spielen, eine zu lange Zeit für ein Stük! so wird eine zweite Beschneidung an demselben vorgenommen werden müßen. Ich wünsche nicht daß jemand anders, als ich, sich dieser Arbeit unterzöge, und ich selbst kann es nicht ohne die Anschauung einer Probe, oder der ersten Vorstellung selbst. Wenn es möglich wäre daß E. E. die Generalprobe des Stüks wenigstens zwischen dem 20—30 dieses Monats zu standen brächten, und mir die wichtigsten Unkosten einer Reise zu Ihnen vergüteten, so hoffte ich in etlichen Tagen das Interesse des Theaters und das meinige vereinigen, und dem Stük die theatralische Rundung geben zu können, die sich nicht ohne wirkliche Gegenwart bei der Aufführung geben läßt. Überdieses bät ich mir dieser Tage einen gütigsten Aufschluß aus, so würde ich mich auf den Fall vorzusehen wißen.

H. Schwan schreibt mir daß ein Baron v. Gemmingen sich die Müh genomen, und meinem Stük die Ehre gegeben hätte es vorzulesen. Ich höre auch daß dieser H. v. Gemmingen Verfaßer des Teutschen Hausvaters sey. Ich wünschte die Ehre haben diesen Mann zu versichern, daß ich eben diesen Hausvater ungemein gutgefunden, und einen vortreflichen Mann, und sehr schönen Geist darinn bewundert habe. Doch was ligt dem Verfaßer des Teutschen Hausvaters an dem Geschwäz eines jungen Kandidaten? — Übrigens, wenn ich je das Glük habe einem v. Dalberg zu Mannheim meine Wärme und Verehrung zu bezeugen, so will ich mich auch in die Arme jenes drängen und Ihm sagen wie lieb mir solche Seelen sind wie Dalberg und Gemmingen.

Den Gedanken mit dem kleinen Avertissement vor Aufführung des Stüks find ich fürtreflich, und sende daher E. E. in Beilage einen Versuch.

Übrigens hab ich die Ehre mit vollkommener Achtung zu ersterben

E. Excellenz

ganz unterthäniger

Schiller."

2.2. 1926: Piscators Inszenierung der ‚Räuber' am Berliner Staatstheater (Rezension von Herbert Ihering unter dem Datum des 13. September 1926[145]):

„Wenn der Vorhang aufgeht, vernimmt man nicht: ‚Aber ist Euch auch wohl, Vater?', wenn er niedergeht, nicht: ‚Dem Mann kann geholfen werden!'. Alles Private ist in dieser Aufführung gestrichen. Alles Politisch-Dokumentarische betont."

Die Tendenz dieser Inszenierung ist aus dem seinerzeit aktuellen politischen Kontext entwickelt, der in ihr entsprechend zitiert und parteilich eingreifend kritisiert wird. Sie hat das Ziel, den „Widerspruch bei Schiller" vor allem dadurch zu artikulieren und evident zu machen, daß dem „Revolutionär aus privatem Sentiment, Karl Moor", und seiner „ideologischen Romantik" Spiegelberg, der „systematische" und „zielbewußte Revolutionär", der „Revolutionär aus Gesinnung", entgegengestellt wird. (Diese Regie-Konzeption hat sich unter anderem auch darin anschaulich gemacht, daß Spiegelberg in der Maske Trotzkis aufgetreten ist.)

Die dafür notwendigen „Striche, zu denen Piscator vom Standpunkt des Gegenwartsstückes berechtigt war, treiben den Widerspruch bei Schiller erst recht heraus".

(145) Ihering, Herbert: Von Reinhardt bis Brecht. Eine Auswahl der Theaterkritiken von 1909—1932. Hamburg 1967, S. 234—236. Brecht: Schriften zum Theater I. Gesammelte Werke 15 (Werkausgabe edition suhrkamp). Frankfurt 1967, S. 176—184.

Diese ‚destruktive', vom Standpunkt der Gegenwart aus historisch-kritisch und prozeßhaft eingreifende Piscator-Inszenierung war dann auch, unter anderem, Gegenstand des „Gesprächs über Klassiker" zwischen Brecht und Ihering:

„Ihering: Man brachte es fertig, revolutionäre Werke wie ‚Die Räuber' und ‚Kabale und Liebe' in eine ungefährliche Ideologie umzulügen. Der Spießer entgiftete alle rebellischen Gedanken, indem er sich mit ihnen identifizierte. Der Banause usurpierte die Revolution und konnte deshalb im Leben um so selbstzufriedener auf sie verzichten. Man plünderte den Inhalt und nutzte die Klassiker ab. Es gab keine Tradition, nur Verbrauch. Aber dieser ganze Verbrauch war nur Ausdruck für eine falsche, geistig unfruchtbare, konservative Verehrung.

Brecht: Diese ehrerbietige Haltung hat sich an den Klassikern gerächt, sie wurden durch Ehrerbietung ramponiert und durch Weihrauch geschwärzt. Es wäre ihnen besser bekommen, wenn man ihnen gegenüber eine freiere Haltung eingenommen hätte, wie die Wissenschaft sie zu den Entdeckungen, auch zu großen, eingenommen hat, die sie doch immerfort korrigierte oder sogar wieder verwarf, nicht aus Oppositionslust, sondern der Notwendigkeit entsprechend.

Ihering: Ja, das verhinderte der Besitzkomplex. Fast das ganze neunzehnte Jahrhundert war auf ein geistiges Besitzgefühl eingestellt. Schiller und Goethe gehörten dem einzelnen. Jeder sprach von Barbarei, wenn die Klassiker nicht so aufgeführt wurden, wie er es sich gedacht hatte. Jeder empörte sich, wenn Verse, die er kannte, gestrichen waren. Jeder hielt die Nation für beleidigt, wenn sein Lieblingsautor zurückgesetzt wurde. Niemand identifizierte sich mit dem Volke; jeder das Volk mit sich.

Brecht: Der Besitzfimmel hinderte den Vorstoß zum Materialwert der Klassiker, der doch dazu hätte dienen können, die Klassiker noch einmal nutzbar zu machen, der aber immer verhindert wurde, weil man fürchtete, daß durch ihn die Klassiker vernichtet werden sollten [...]. Man hätte unbekümmert an den Materialwert herangehen sollen. Eine Zeitlang versprach unsere vandalistische Bemühung, obwohl sie auf Schritt und Tritt bekämpft wurde, ja auch allerhand. Die Rettung der Klassiker für unser Repertoire stand schon in Aussicht, und zwar nicht der Klassiker wegen, sondern unseres Repertoires wegen.

Ihering: Es war klar, daß von dem großen Umschichtungsprozeß der Kulturwerte auch Schiller nicht unberührt bleiben konnte. Schiller, der immer Instinkt für große, weltgeschichtliche Stoffe hatte, für den objektiven Gehalt des Dramas, Schiller, der diese Haltung unter dem Einfluß Goethes verlor, mußte zurückgeführt, mußte 'entgoethet' werden. Nun wurde dieser Versuch gerade an einem Drama gemacht, das nicht unter dem Einfluß Goethes entstanden war, an den ‚Räubern'. Aber dieser Versuch deckte doch das Verhältnis der Gegenwart zu Schillers Problematik auf. Erwin Piscator schwächte in den ersten beiden Akten der ‚Räuber' den Revolutionär aus privatem Sentiment, Karl Moor, zugunsten des systematischen Revolutionärs ab, des Revolutionärs aus Gesinnung, Spiegelberg. Dazu bedurfte es brutalster Textänderungen. Das war gewiß gefährlich und unschillerisch. Aber diese Inszenierung warf eine Grundfrage auf. Diese ‚Räuber'-Darstellung, die scheinbar die Selbstherrlichkeit des Regisseurs dem dichterischen Werk gegenüber auf der Höhe zeigte, bedeutete in Wahrheit die Überwindung des formal-experimentierenden Regisseurs. Diese Vorstellung, deren zweiter Teil als Schiller-Darstellung einfach schlecht war, wurde wesentlich, weil sie dem Theater, auch vom Klassiker her, statt ästhetischer Finessen wieder Inhalt zuführte, Substanz, also Material.

Brecht: Ja, es war ein hoffnungsvoller Versuch. Man sah plötzlich wieder eine Möglichkeit. Schiller blühte ordentlich wieder auf."

Diese Möglichkeit liegt in der („nicht aus Oppositionslust" vorgenommenen) Text-

Destruktion, die sich hier auf der Ebene und mit den Mitteln des Theaters vollzieht. Sie besteht für Brecht im Vorstoß zum Materialwert der Klassiker, der ihre Texte nutzbar zu machen vermag für die Erfahrung der Gegenwart.

2.3. 1959: Kortners Inszenierung der ‚Räuber‘ am Berliner Schillertheater (Rezension von Friedrich Luft unter dem Datum des 23. Februar 1959 [146]):

Demnach „holt" auch Kortner „das immanent Politische aus diesem Geniestück heraus. Er stößt den Zuschauer immer wieder mit der Nase auf die Gegenwartsbezüglichkeiten, von denen das Buch vollsteckt."

Indessen wird dieses immanent Politische, etwas mehr als drei Jahrzehnte nach der Piscator-Inszenierung, unter veränderten geschichtlichen Bedingungen und von einem entsprechend veränderten Standpunkt der Gegenwart aus grundlegend anders gesehen und in Szene gesetzt. Das zeigt sich vornehmlich an der Konzeption Spiegelbergs.

„Kortner läßt den kühnen Karl Moor keinen Feuerjüngling, keinen Aktivhelden, keinen Stürmer und Dränger sein. Bei ihm ist er ein malaisenbehafteter Zeitgenosse, einer, den die Miesigkeiten der Welt in die Wälder treiben. Eher ein Hamlet, als ein Karl. Einer, der aus Hilflosigkeit in die falsche Aktion springt. [...] Er [Kortner] macht den Spiegelberg zu einem spitzen, kleinen Clown. Curt Bois spielt die Figur, die Piscator einst als den Trotzki der Räuber maskierte. Bois, federnd, durchaus und hinreißend mit den Attributen des Komikers behaftet, spielt wohl die Gefahr und latente Versuchung des Moritz Spiegelberg. Er soll ganz bewußt nur den Moritz spielen.

Ein wippender Knirps, ein Würstchen und Nebbich, der den Aufbruch der Gerechten in die Wälder auslöst. Es steckt ein gut Stück Verachtung darin, einen Clown und Miesnick zum Initiator der Freiheit, zum Wortführer der Anarchie zu machen. Aber das ist gewollt."

In dieser Verachtung gegenüber der Initiative der Freiheit, die ein Korrelat politischer Resignation darstellt, ist konkrete geschichtliche Erfahrung sedimentiert.

2.4. 1966: Zadeks Inszenierung der ‚Räuber‘ in Bremen (Bühnenbild: Minks) [147]:

Diese Inszenierung, in der das Drama zum Reflex der aktuellen Kulturindustrie trivialisiert worden ist, stellt ein Beispiel dafür dar, wie einem klassischen Werk neue und bisher nicht gesehene sensationelle Effekte, die indessen rein formalistischer Art sind, aufgesetzt werden können.

Die Trivialisierung, die sich allenfalls auf Schillers „Lust am höheren Indianerspiel" [148] berufen kann, bestand vor allem darin, daß „alle Gestalten des Stückes bis zu dem Punkt reduziert wurden, wo ihr Gestus mit dem bekannter Figuren aus dem Arsenal der heutigen Vulgärkultur — Bildserien, Western, Horrorfilme — übereinging." Konkret: „Ein Comic-Strip von Roy Lichtenstein als Rundhorizont, davor die Figuren in phantastischen Kostümen: Franz als Mißgeburt aus dem Horror-Film, Karl als blondgelockter Westernheld in engen Lederhosen, Amalie als Kitschengel, Vater Moor als milder Aztekenpriester." [149] In Beziehung auf diese Inszenierung muß allerdings die Frage gestellt werden, ob hier die objektive Antizipation nicht einfach zum puren formalistischen Er-

---

(146) Luft, Friedrich: Berliner Theater 1945—1961. Hannover 1961, S. 311—313.
(147) Wendt, Ernst: Die Zeit der Reflektion beginnt. In: Theater heute, 1966, Heft 12, S. 34.
(148) Mann, Thomas: Versuch über Schiller. Frankfurt 1955, S. 15.
(149) Theater 1966, Sonderheft der deutschen Theaterzeitschrift ‚Theater heute‘, S. 124.

neuerungs-Fetischismus verkommt, der, möglicherweise aus politischer und sozial-ästhetischer Ratlosigkeit, konkret-geschichtliche Zusammenhänge und Konkordanzen mit dem Bewußtsein der Gegenwart nicht mehr zu erkennen vermag. Jedenfalls werden in Inszenierungen dieser Art (die übrigens, wie die Bremer ‚Räuber'-Aufführung, mit der Zustimmung des jugendlichen Publikums rechnen können) Inhalt und Tendenz des literarischen Werks nicht nur verflacht und verfälscht, sondern überhaupt ausgeblendet, so daß historische und gesellschaftliche Erfahrung prinzipiell unmöglich wird.

2.5. 1966: Heymes Inszenierung der ‚Räuber' in Wiesbaden (Rezension von Ernst Wendt [150]):

Diese Inszenierung zeichnet sich zunächst dadurch aus, daß sie ein formales Element der ‚Räuber', mit dem Schiller die seinerzeit herrschende Dramaturgie überholt und das sich auch aus dem gesamtästhetischen Geschichtsprozeß als ein progressives Moment analysieren läßt, aufgreift und mit den Mitteln des modernen Theaters verwirklicht. Das heißt: Inszenierung der historisch gegebenen ästhetischen Antizipation aufgrund von Möglichkeiten, die sich aus dem neuesten Entwicklungsstand der (dafür geeigneten) ästhetischen Produktionsmittel ergeben: Das sind, verkürzt gesagt, Mittel der Verfremdung und Episierung, wie sie im Brecht-Theater ausgebildet worden sind.

„Welche Funktion haben [...] die auf einer Leinwand herabgerollten Schriftbänder (bei den Wiesbadener ‚Räubern')? Zunächst unterstreichen sie, ein Mittel Brechts aufnehmend, die Struktur" des Stücks, seinen „epischen Gestus, den Charakter des Stationentheaters. Heyme beruft sich für die ‚Räuber', um seine bedächtige Erzählweise zu legitimieren, auf Schillers Bemerkung, das Stück sei kein 'theatralisches Drama', sondern ein 'dramatischer Roman'. Das Schriftband liefert also gleichsam die Kapitelüberschriften."

In weiterer Hinsicht wird das Drama vor allen Dingen sozialpsychologisch interpretiert:

Die extremen Verhaltensweisen werden einsichtig gemacht „als Befunde kranker Seelen, als Bestandsaufnahmen verknickter Menschenwesen. Heyme, indem er seine Inszenierung einer Ordnung des Raumes unterwirft und sie von ihr zur 'Darlegung', zum Befund verwandeln läßt, inszeniert ein Räderwerk von immer mehr ins Klinische sich steigernden Erregungen, welche befördert werden von der Fixierung an ein übermächtiges Vaterbild. Beide, Franz wie Karl, werden durch ihre Vaterbindung, die vom alten Moor zerstörerisch immer mehr befestigt wird, zu 'Räubern', unmoralischen Kreaturen, die sich an der Weltordnung vergehen. Der private Konflikt bleibt in einem Falle — Moors Beziehung zum Franz — 'in der Familie', tobt sich dort aus als perverser Haßkomplex; im andern Falle dagegen — dem Konflikt zwischen Karl und dem Vater — löst das Private das Politische aus, entzündet immer mehr Karls verbrecherische, anarchistische Sozialutopie. So sehr ein solches Ergebnis — gesellschaftliche Wirksamkeit als Folge privater Defekte — politisch bedenklich erscheinen mag, es ergibt sich fast zwangsläufig, wenn einer die Vorgänge und die Beziehungen zwischen den Figuren so sehr beim Wort nimmt, wie Heyme das getan hat." [151]

Ob dieses Ergebnis sich allerdings fast zwangsläufig daraus ergibt, daß der Text nur einfach beim Wort genommen wird, kann mit gutem Grund bezweifelt werden. Denn unstreitig ist darin, wie das Wort von Heyme gelesen und verstanden wird und wie die

---

(150) Wendt (Anm. 147), S. 32.
(151) Wendt (Anm. 148), S. 34.

Vorgänge und die Beziehungen zwischen den Figuren aufgefaßt werden, das Bewußtsein der Gegenwart virulent.

Ein Text von Bloch über ,Falsche und echte Aktualisierung', in dem sich noch einmal der historisch-kritische Ansatz spiegelt, soll diese Beispiel-Reihe abschließen:

2.6. „Falsche und echte Aktualisierung[152]

Die guten Stücke kehren aufgeführt wieder, doch nie als dieselben. Für jedes neue Geschlecht muß darum auch neu inszeniert werden, und das mehrmals. Der Wechsel der Darbietung wird besonders scharf, wenn eine andere Klasse im Parkett Platz zu nehmen beginnt. Aber bleibt die Bühne dann auch nicht unverändert, folglich plunderhaft, so ist sie ebenso keine Garderobe, an deren Haken immer neue Kleider aufgehängt werden können. Soll heißen: die Menschen und Schauplätze eines alten Stücks können nicht gänzlich und radikal 'modernisiert' werden. Auf jeden Fall bleibt das Kostüm der Zeit, worin das gegebene Stück spielt. Dem widerspricht durchaus nicht, daß das Barock seine antiken Helden à la mode eingekleidet hat und sie ebenso agieren ließ. Denn das Barock spielte zwar antike Helden, doch eben keine antiken Dramen, sondern selbstgeschriebene; so entstellte es auch keine antiken Dramen, wenn es deren Stoff in die eigenen bürgerlich-höfischen Figuren und Konflikte versetzte. Aus weit weniger schöpferischem, doch noch überlegterem Grund tragen etwa Cocteaus Orpheus und Euridike, in den zwanziger Jahren unseres Jahrhunderts verfaßt, Polohemd und Hornbrille; das ebenfalls ohne jeden Anstoß. Jedoch gibt es nicht leicht einen abgeschmackteren Unsinn, als Hamlet im Frack zu spielen oder, mit bescheidenerem Beispiel, den ersten Akt von ,Hoffmanns Erzählungen' in eine Chromnickel-Bar zu legen. Oder auch Schillers Räubern Proletenkluft anzulegen und Spiegelberg eine Trotzky-Maske. All das ist ein snobistischer, mindestens übertriebener Rückschlag gegen die ohnehin längst abgelaufene historisierende Theaterspielerei. Richtig ist nur das Selbstverständliche, daß jedes Theater dasjenige seiner Zeit ist und weder ein getreuer Maskenball noch ein pedantischer Philologenspaß. Darum braucht die Szene zu ihrer Erfrischung zwar einen überall neuen und neu in sie eingearbeiteten Blick, jedoch so, daß das Zeitaroma der Dichtung und ihres Bühnenbilds nirgends verfliegt. Denn gerade die neue Parteilichkeit des Blicks braucht die Personen und Handlungen am Ort ihrer durch die Dichtung gegebenen Ideologie, wenn anders Haß und Liebe, Abschaum und Vorbild den vom Dichter gezeigten Gegenstand haben sollen. Das Bühnenbild, auf das hin der Autor komponiert hat, muß also, statt weggeworfen, zur Kenntlichkeit verändert werden, zur Kenntlichkeit etwa der in ihm sich zutragenden, jetzt erst spruchreif gewordenen Klassenkonflikte. So erst wird das Theater nicht aktuell stilisiert, sondern wirklich aktualisiert, und das, wie im Bühnenbild, so noch viel genauer in der erfrischten Belichtung, Modellierung des *Bühnentextes*. Hier gibt es außer den altbekannten Strichen sogar die Umarbeitung eines Stückes, sofern dieses in mehreren Stellen verstaubt oder auch ungereift und unbeendet vorliegt, und sofern — als conditio sine qua non — der Neubearbeiter oder auch Ergänzer dem Autor verwandt und ebenbürtig ist. So hat Karl Kraus nicht nur Offenbach-Texte, sondern den ganzen Diamant dieser Musik aus dem Schlendrian gerettet, wohin er gefallen war. So hat Brecht den ,Hofmeister' von Lenz als eine Menschenpflanze besichtigt, die aus der feudalen Misere des achtzehnten Jahrhunderts in die kapitalistische des zwanzigsten

(152) Bloch, Ernst: Die Schaubühne, als paradigmatische Anstalt betrachtet, und die Entscheidung in ihr. In: Das Prinzip Hoffnung, Bd. 1. Wissenschaftliche Sonderausgabe. Suhrkamp Verlag, Frankfurt 1967. Erstveröffentlichung 1959.

weiterwächst. Aber die Sache wird auch hier sofort prekär, wenn freche Regisseure, verhinderte Autoren oder kummervolle Epigonen Altes als Krücke und Produktionsersatz benutzen wollen. Die Epigonal-Ergänzer (Modell: Abschluß des Schillerschen ‚Demetrius‘) sind in der Literatur, was die entsetzlichen Burg- und Schloß-Restauratoren des vorigen Jahrhunderts in dem waren, was man damals Architektur nannte. Sie sind gleich letzteren seltener geworden, dagegen forsche Regisseure übertragen immer wieder eine unsägliche Aktualisierung in den Dramentext, auf Grund vulgärpolitischer ‘Auffassung’ desselben. Alles zum Zweck, eine — sei sie noch so löbliche — Tendenz außerhalb des Werkspiegels sichtbar zu machen, statt in ihm. Es braucht nicht erst — bei höchst unlöblicher, nämlich vorfaschistischer Tendenz — an einen ‚Wilhelm Tell‘ erinnert zu werden, wo Geßler, unter Dämpfung und Retusche der Freiheitsmänner, als ‘interessanteste’ Figur in die Mitte gerückt wurde. Oder gar, wo das Lustspiel ‚Der Kaufmann von Venedig‘ zu einem antisemitischen Radaustück herhalten mußte. Denn auch bei richtigster Tendenz fährt die vulgärpolitische Aktualisierung auf ein werkfremdes Feld, *mit Verlust des gegebenen Dramas*. So etwa, wenn ‚Maria Stuart‘ dermaßen in Mißszene gesetzt und aus den Maßen gerückt wird, daß das Stück kein Trauerspiel mehr abgibt, sondern den bejubelten Triumph der Elisabeth. Weil sie nämlich — kraft eines dramaturgischen Neubaus ohnegleichen — den aufsteigenden Kapitalismus gegenüber der französisch-katholischen-neufeudalen Maria repräsentieren soll. Das ist historisch zwar nicht unrichtig, fürs gegebene Drama jedoch (letzter Akt) noch schlimmer, vor allem weit überflüssiger als eine Schloß-Restaurierung im Geschmack der achtziger Jahre. Nur bei einer in der Dichtung selber mehrdeutigen Figur, an der Spitze Hamlet, ist die Outrierung einer ihrer Züge, ihrer gegebenenfalls bisher übersehenen, allenfalls zu rechtfertigen; indes müssen auch diese Züge bei Shakespeare belichtet gewesen sein, und der Regisseur hat sie nur zu entwickeln. Nur als diese Art Entwicklung und Nachreife geschieht Erneuerung auf dem Theater, und nur zu diesem Ende werden Meisterwerke, mit einem wie immer glücklichen Zerfall ihres ‘Galerietons’, Museumswerts, auf die Bretter zitiert. Auch Richard der Dritte, er spielt nicht, als wäre er Hitler, sondern er versinnlicht heute einen Teil des Hitlerischen desto klarer, je mehr er durch Shakespeare seine eigene Haut und die seiner Zeit darstellt. Verwandtes gilt im gleichen Stück, wenigstens was das Allegorische der Rettung angeht, von Richmond und dem schönen Tag von morgen um ihn. Vielsagend allerdings muß diese Darstellung sein und kein geschichtliches Panoptikum mit ‘Zeitlosem’, mit ‘Allgemein-Menschlichem’ darin. Aber Vielsagendes bedeutet hier: das klassische Drama muß so gesprochen und dargestellt werden, daß nicht die Gegenwart dem Drama aufgepreßt wird, sondern das Drama die Gegenwart mitbedeutet. Und das auf Grund seiner temporär nie erschöpften Konflikte, Konfliktsinhalte und Lösungen, vielmehr: jedes klassisch große Drama zeigt in seinem Konflikten und Lösungen ein gleichsam überholendes, ins Temporäre *übergreifendes Anliegen*. Ja selbst die in der Gegenwart verfaßten Stücke besitzen nur dann dramatisch aktuelle Bedeutung (im Sinne von Hinweis wie Erhellung), wenn sie sich auf solch übergreifendes Anliegen verstehen. Es gibt einen gesellschaftlichen Prozeß (zwischen Individuum und Gemeinschaft, zwischen kontrastierenden Gemeinschaftsformen selber), der von den griechischen Anfängen des Dramas in die Zukunft reicht, bis in die Gesellschaft der nicht mehr antagonistischen, doch selbstverständlich nicht verschwundenen Widersprüche. Dieser Prozeß, dramatisch zwischen typischen Trägern konzentriert, macht jedes große Drama ebendeshalb groß, weil es neuer Aktualität fähig ist, und macht es ebendeshalb aktuell, weil es zur künftigen Aufgabe: optimistische Tragödie transparent ist. In ‚Rameaus Neffe‘ läßt Diderot sagen: ‚Der Säulen standen viele am Weg, und die aufgehende Sonne schien auf alle, aber nur Memnons Säule klang.‘ Diese Säule bedeutet Genie zum Unterschied von Mediokrität, aber reiner sachlich bedeutet sie die dauernde

Klangkraft und Aktualität großer Dramen in Richtung Tagesanbruch. Die aktuelle Inszenierung wird also dann am besten einrichten, wenn sie sich nach dieser Richtung richtet. Sie ist den wahrsten Dramen, vom ‚Gefesselten Prometheus' bis ‚Faust', immanent; sie braucht keine an- und zugefügte Sichtwerbung, sondern eben Sichtbarmachung."

Zu 3.: Literaturgeschichtliche Darstellungen

3.1. „Die Räuber als Spiegelbild ihrer Zeit[153]

Aber Schubart verband mit dieser Erzählung, als er sie in dem Schwäbischen Magazin mitteilte, noch ganz andere Absichten. Er will, wie er sagt, auch dem Vorwurf der Schlafmützigkeit begegnen, welchen die Ausländer so gern gegen die armen Deutschen erheben, indem sie aus der Unfreiheit ihrer Federn auch auf die Knechtschaft ihrer Köpfe und Herzen schließen; er will beweisen, daß auch in Deutschland große Leidenschaften und große Charaktere zu Hause seien: ‚daß wir trotz unseren engen Regierungsformen, welche uns bloß einen passiven Zustand gestatten, doch Menschen sind, die ihre Leidenschaften haben und handeln, so gut wie ein Franzos oder ein Brite'. Er verbietet deshalb ausdrücklich dem zukünftigen Genie, welches er zur Bearbeitung herausfordert, den Schauplatz aus Zaghaftigkeit etwa nach Spanien oder Griechenland zu verlegen: auf deutschem Grund und Boden soll es die Scene eröffnen. Daher die ungeheure Aktualität des Schillerischen Drama, auf dessen Titelblatt die gefährlichen Worte stehen: ‚Der Ort der Geschichte ist Teutschland'; daher hat Schiller auch die Zeit des siebenjährigen Krieges beibehalten, welche als die Gegenwart gelten konnte. Der Dichter stellt sich damit dem Herausgeber der revolutionären Teutschen Chronik an die Seite: er bringt Dinge an das Tageslicht, er entfesselt Leidenschaften, welche bis dahin durch die Willkür des Despotismus nur im Verborgenen gehalten, nicht durch die Wohlthat der Gesetze unmöglich gemacht waren. Der Dichter der Räuber ist selber jener Karl Moor, der den Unterdrückten zu ihrem Rechte zu verhelfen sucht und den mißhandelten Greis aus seinem Kerker an das Tageslicht heraufführt. Oder zweifelt man wirklich, daß solche Greuel- und Missethaten unter der stillen Oberfläche des duckmausenden Deutschland und eines policierten Jahrhunderts sich verbergen konnten? Wir können freilich die einzelnen Fälle nicht herzählen und daß wir es nicht können ist eben unser bester Beweis: daß keine Kriminalakten und Archive uns die Namen der Unterdrückten und der Unterdrücker aufbewahrt haben, daß solche Schandthaten dem Licht der Öffentlichkeit geflissentlich entzogen wurden, das ist das schlimmste Zeugnis gegen die Zeiten und Verhältnisse, aus welchen heraus die Räuber geschrieben wurden. Sie drangen dennoch ans Licht! Ausdrücklich versichert uns Schubart, daß sich die von ihm erzählte Geschichte ‚mitten unter uns' zugetragen habe; ja in der ersten Fassung seiner Erzählung führt er einen vornehmen und reichen Beamten aus Anspach, einen Herrn von Buttwitz, der in der Nähe von Krailsheim ansässig gewesen sein soll, als den Vater der feindlichen Brüder mit Namen ein. Es ist gar nicht ausgemacht, ob Schiller nicht etwa durch den Sohn Schubarts den wirklichen Vorfall erfuhr, auf welchen sich Schubart berief: Schillers eigene Gattin versichert uns, daß die Geschichte des alten Moor einen wahren Grund hatte. Und Lenz, der in seinem Familiengemälde ‚Die beiden Alten' einen ähnlichen Stoff behandelt, verdankt denselben zwar einer Zeitungsanekdote aus Languedoc, findet ihn

(153) Schiller, sein Leben und seine Werke, dargestellt von J. Minor. Erster Band. Weidmannsche Buchhandlung, Berlin 1890.

aber, gerade wie Schubart, auch für unsere Sitten und Zeiten wahrscheinlich genug, um aufs Theater gebracht zu werden. Als wirklicher Vorfall wird die Geschichte später auch in Dutens Lebensbeschreibung erzählt. Wie weit aber die Feindseligkeit unter Brüdern im 18. Jahrhundert gehen konnte und wie willfährig sich die irdische Macht zu ihrem Werkzeug hergab, davon gab es in des Dichters unmittelbarer Nähe ein sprechendes Beispiel. Dort lebte als Zellennachbar desselben Schubart ein Herr von Scheidlein aus Augsburg, welchen seine Brüder wegen leichtsinnigen Lebenswandels der Geißel Gottes, dem Herzog von Württemberg, ausgeliefert hatten: die vollen einundzwanzig Jahre seit Schillers Geburt brachte er auf dem Hohenasperg zu, bis auch ihm in dem Dichter der Räuber ein Rächer erstand. Genug von Einzelheiten, wo man ihrer nicht bedarf! Das Jahrhundert der Aufklärung hatte auch den Materialismus und den Egoismus großgezogen, welcher sich in solchen Thaten, leider zu selten, an den öffentlichen Pranger stellte. Fühllose Kälte auf der einen Seite, überspannte Hitze auf der andern: die Gegensätze des Nationalismus und der Empfindsamkeit stehen sich in Franz und Karl Moor am feindseligsten gegenüber und haben in ihnen ihren stärksten Ausdruck gefunden. Die französische Revolution hat später diesem Kampf der heißen und kalten Leidenschaften freien Spielraum gegeben, von welchen die ersteren ihr Wesen am offenen Licht des Tages trieben, sich selbst in ihrer Maßlosigkeit verzehrten oder an der bestehenden Ordnung scheiterten; während die kalten Leidenschaften unter der Decke wühlten und das Werk der Zerstörung mit weit sichererm Erfolge betrieben. Nicht bloß innerhalb der Familie, auch innerhalb des Staates trafen sie auf einander: Franz Moor ist nicht bloß der feindliche Bruder, er ist auch der kalte Despot, welcher Herr sein will, um seine Unterthanen mit Skorpionen zu züchtigen; und Karl Moor ist der Freund der Schwachen und Hülflosen gegenüber ihren vornehmen Peinigern. Es ist eine Welt maßloser Leidenschaften, in welche uns der Dichter der Räuber wie der des König Lear führt: ‚Die Gesetze der Welt sind Würfelspiel worden, das Band der Natur ist entzwei, die alte Zwietracht ist los!' Als im Jahre 1795 der Nationalkonvent dem Dichter der Räuber das französische Bürgerrecht erteilte, bezeichnete ihn eine deutsche Zeitung immer noch als versteckten Jakobiner und wollte in dem Stücke den Zündstoff zur französischen Revolution finden. Damals waren die heißen Leidenschaften der Sansculottes mit den kalten der besitzenden Klassen bereits in dem Weltdrama an einander geraten, welches man die französische Revolution nennt. Nicht mehr Karl und Franz Moor, auch nicht Schiller und Herzog Karl waren die Helden dieses Stückes und nicht mehr die böhmischen Wälder oder Stuttgart der Schauplatz: sondern in ganz Europa tobte nun der Kampf. Die Räuber des jungen Schiller, welcher sich damals nicht einmal um den nordamerikanischen Freiheitskrieg, geschweige denn um das gewitterschwüle Frankreich bekümmerte, waren nur ein Symptom und eine Vorahnung; eine Wirkung im Kleinen vor der großen Katastrophe. Wer sie für die Welt verantwortlich machen will, aus welcher sie notwendig entstanden sind, der mag mit jenem Fürsten sagen: ‚Wäre ich Gott gewesen, im Begriff die Welt zu erschaffen, und ich hätte in dem Augenblick vorausgesehen, daß Schillers Räuber darin würden geschrieben werden, ich hätte die Welt nicht erschaffen'. Hätte Schiller sie anders gefunden, er hätte sie auch anders geschildert. Daß er es gewagt hat, sie zu schildern wie sie war, darin liegt die sociale Revolution, welche die Räuber bedeuten." [...]

3.2. Die Räuber[154]

„[...] Historisches Kostüm erhielt das Stück nur spärlich. Dem jungen Dichter fehlte die Kenntnis der Vergangenheit ebenso wie die der Außenwelt. Wir sollen in die Zeit

(154) Harnack, Otto: Schiller. Ernst Hofmann & Co., Berlin 1898.

des siebenjährigen Krieges versetzt werden; aber wir bleiben ungläubig, wenn wir von der Schlacht bei Prag hören. So gesättigt ‚Minna von Barnhelm' im Großen und Einzelnen mit dem Geist und Duft des 'Fritzischen Zeitalters' ist, so leer davon sind ‚Die Räuber'. Nebelhaft wie die 'böhmischen Wälder' bleiben die thatsächlichen Zustände, in welchen die Personen sich bewegen. Ohne große Schwierigkeit konnte das Stück nach dem Wunsch Dalbergs auf der Mannheimer Bühne in die Zeit Maximilians I. zurückverlegt werden. [...]

[...] Und wenn wir das Ganze nochmals überblicken, so ist es diese Fähigkeit tragischer Auffassung und Verwickelung, welche den jungen Dichter schon als zum Höchsten berufen erscheinen läßt. Hier ist keine Zufallstragödie, keine Schicksalstragödie, keine Intriguentragödie, obgleich man im Einzelnen glauben könnte, dies alles zu finden; hier ist in die innerste Anlage, in die tiefste Willensrichtung der Person das Tragische verlegt, und darum ist es wahrhaftig und ist unentrinnbar. Das Wort: ‚In Deiner Brust sind Deines Schicksals Sterne' hat Schiller schon hier in seinem Erstlingsdrama meisterhaft bekräftigt. Wohl ist an Karl Moor empörend gefrevelt worden, aber unter Hunderten würde kein zweiter durch diese Frevel zu den gleichen Thaten und Unthaten kommen wie er. Und wiederum — wenn das große Unrecht gegen ihn nicht verübt worden wäre, — auch dann könnten wir ihn nicht als ruhigen und nützlichen Staatsbürger uns denken. Eine gewaltige Kraft, der das Maß fehlt; ein idealer Wille, aber mit äußerster Selbstüberschätzung verbunden, — aus solchen Wurzeln kann kein gesunder Baum erwachsen. Es sind die alten Vorbedingungen der Tragik, wie sie schon das griechische Drama ausgebildet hatte: der Mangel der Besonnenheit, die Überhebung, die zur Verblendung führt."

3.3. Die Räuber [155]

„[...] Für die Beurteilung Schillers ist dieser die höchsten tragischen Gesetze erfüllende Abschluß von größter Bedeutung. Denn auch für den Dichter selbst war dieser tragische Austrag ein Gewinn, ein Markstein auf dem Wege seiner Entwicklung. Wie sein Held war ja auch er von den Phantasiebildern Rousseaus erfüllt, auch ihm ekelte vor dem tintenklecksenden Säkulum, wenn er in seinem Plutarch von großen Menschen las. Das leidenschaftliche Gefühl des Kontrastes zwischen Ideal und Wirklichkeit, zwischen der Kraft heroischer Zeiten und dem schlappen Kastratenjahrhundert hatte der Dichter seinem Helden in die Seele geflößt. Indem Schiller aber seine eigenen revolutionären Gedanken durch das Unterfangen seines Helden Tat werden und diese scheitern ließ, stellte er im Ausgange das Recht des Ganzen über das des Einzelnen und kam zur Erkenntnis der Schranken eines kraftvollen, an sich berechtigten Individualismus. In der Beherrschung der Leidenschaften, nicht in ihrer wilden Entfesselung liegt die wahre, sittliche Freiheit, — das erlebte der Dichter so gut wie sein Held. Und weil Schiller zu dieser höheren Freiheitsidee durchdrang, darum blieb er ästhetisch nicht stecken in revolutionärer Anklage und Auflehnung, sondern konnte, mit freiem Walten über seinem Stoffe stehend, sein Drama zu einem ästhetisch, künstlerisch und sittlich befriedigenden Abschlusse führen. Damit war aber nicht nur die überschäumende Kraft und das trotzige, wenn auch noch so gerechte Wollen des Einzelnen in gewisse Schranken gewiesen, sondern auch die Unmöglichkeit dargetan, an Stelle der wirklichen, geschichtlich gewordenen Welt eine Traumwelt zu setzen. Gewiß, die Kultur, die Schiller vorfand, der Zustand, gegen den sich das Gemüt seines Helden auflehnte, war schlecht, verlogen, wider-

(155) Berger, Karl: Schiller. Sein Leben und seine Werke, 2 Bde. Erster Band, 7. Kap.: Die Räuber. C. H. Beck'sche Verlagsbuchhandlung Oskar Beck, München [9]1917 ([1]1904).

natürlich und darum haltlos, aber überwinden ließen sie sich nicht durch die Rückkehr zur Natur nach dem phantastischen Rousseauschen Rezept. Wer die Welt von ihren Gebresten heilen will, darf nicht mit ihr brechen, sondern muß, in ihr verharrend, mit dem Übel ringen, die schwache Menschheit mit einschließen in sein strebendes Bemühen. Mit diesem dichterischen Ergebnis hatte Schiller das Rousseausche Naturideal schon ästhetisch überwunden, ehe seine ganze geistige Entwicklung ihn darüber hinausführte.

Der Held war gerichtet, aber doch nicht er allein. Das Urteil war auch gesprochen über die Mißstände in Staat und Gesellschaft, über die Vergewaltiger der Menschheit und die Verwüster des Rechts. Was Schiller als sein Persönliches hier aussprach, das gärte in unzähligen Herzen. Und nun brauste die Jugendsturmkraft dieser Dichtung über die deutschen Lande und fachte die unter der Asche glimmenden Funken an und weckte überall den Drang nach Freiheit, den Haß gegen Heuchelei, die Sehnsucht nach menschenwürdigeren Lebensformen. Die Neigung zu bürgerlich-moralischer Entrüstung gegen Willkür und Bosheit der Machthaber war überall vorhanden, auch Schillers Vorgänger hatten schon gegen Standesvorurteile, Adelshochmut, falsche Erziehung angekämpft; in den Räubern aber, die mitten in Deutschland und in der Gegenwart spielten, war allen schlimmen Mächten und Gewalten und Lebensformen Fehde angesagt. Und wenn auch die staatliche Rechtsform der Zeit, die absolute Monarchie als solche, mit keinem Worte angetastet wird, so werden doch ihre gewissenlosen Vertreter und Verderber mit unerhörter Deutlichkeit gegeißelt. Die Zeitgenossen kannten manchen ‚Schurken mit goldenen Borden, der die Gesetze falschmünzt und das Auge der Gerechtigkeit übersilbert‘, Minister, die sich ‚aus dem Pöbelstaub‘ zum ‚ersten Günstling‘ des Fürsten ‚emporgeschmeichelt‘, Leute wie den Finanzrat, ‚der Ehrenstellen und Ämter an die Meistbietenden verkaufte und den trauernden Patrioten von seiner Türe stieß‘. Von der Sorte Montmartin, Rieger und Wittleder gab es Exemplare auch in anderen deutschen Staaten und Vaterländchen. Und nicht minder echt waren die übrigen ‚Niederträchtigen‘, die dem Spott und der Verachtung preisgegeben werden: jene Kerle, ‚die den Schuhputzer belecken, daß er sie vertrete bei Ihro Gnaden, und den armen Schelmen hudeln, den sie fürchten‘, die pfäffischen Heuchler, die rechtsverdrehenden Advokaten, die Landjunker, die ihre Bauern ‚wie das Vieh‘ schinden, und was des Gelichters mehr ist, dem die Dichtung die Maske vom Gesicht reißt. Kein Wunder, daß diese flammenden Anklagen zusammen mit dem unwiderstehlichen dramatischen Zug die Leser und Hörer zu jauchzendem Beifall hinrissen, daß neue, schönere Lebenshoffnungen in tausend Herzen durch diese Offenbarung höherer Menschenwürde geweckt wurden. Wie aufwühlend ihre Wirkung, wie zwingend ihre Gewalt war, das bezeugt, nicht minder als die Begeisterung, auch das Entsetzen und der Abscheu, den die Dichtung bei Zierlichen und Zimperlichen in Perücke oder Zopf hervorrief. Zum Sprecher ihres Schreckens machte sich jener Fürst Putiatin, der nach Eckermanns Erzählung zu Goethe äußerte: ‚Wäre ich Gott gewesen, im Begriff die Welt zu erschaffen, und ich hätte in dem Augenblick vorausgesehen, daß Schillers Räuber darin würden geschrieben werden, ich hätte die Welt nicht erschaffen.‘

Der Mann hatte recht vom Standpunkt eines um seine absolute Herrlichkeit besorgten Autokraten, wenn er auch der Vorsehung seinen beschränkten Despotenverstand unterzuschieben allzu bereit war. Seine geheime Befürchtung hat sich bewahrheitet: unter den deutschen Dichtungen ist wohl keine, die mehr zur Erhebung und Befreiung der Geister aus dem Joch unwürdiger Knechtschaft beigetragen hat als dieses Drama. Und bis zur Stunde findet der eherne Vollklang dieser Tragödie begeisterten Widerhall in allen Herzen, die für Jugendkraft und männlichen Ernst glühen. Denn ewig ist der Kampf, der in den Räubern ausgefochten wird zwischen Mensch und Welt, wenn auch die Formen dieses Kampfes wechseln.“

3.4. „Kampf und Suchen[156]

[...] Dieser Krieg Karl Moors gegen Ungerechtigkeit und Unterdrückung scheint auf den ersten Blick nur der übliche Kampf der Aufklärungszeit. Der Zorn über Heuchelei der Geistlichkeit, Freiheitsberaubung der Untertanen, höfische Schmeichelei und Kabale, das sind Momente, die, bei Schiller bis in den Carlos wiederkehrend, ganz das Gepräge des Kampfes gegen Absolutismus und Orthodoxie tragen, wie er das 18. Jahrhundert erfüllt und im Schrifttum der ersten Jahrhunderthälfte bereits seinen Niederschlag gefunden hatte. Das Motiv etwa der Zerstörung reinen und beglückten Privatlebens durch skrupelloses Verlangen fürstlicher Willkür, das die Kosinsky-Episode bringt, wie es später die Bertha-Episode des ‚Fiesco‘ und, in verschiedener Variation, ‚Kabale und Liebe‘ wieder aufnimmt, wiederholt doch nur, mag es für Schiller immerhin Spiegelung eigener Beobachtungen am Hofe Karl Eugens gewesen sein, ein Zeitproblem, das in Lessings ‚Emilia‘ längst seine literarische Gestaltung erhalten hatte.

Aber die Form des Kampfes als Züchtigung bestimmter sozialer und kultureller Schäden des Absolutismus darf so wenig als Kern gefaßt werden, wie man Schillers eigene Unterdrückung durch den Herzog als letzten Erlebnisgrund für die Entstehung der ‚Räuber‘ in Anspruch nehmen darf. Nicht das Verlangen nach äußerer Freiheit, so stark es damals in Schiller gewesen sein mag, ist entscheidend, und die ‚Räuber‘ sind kein ‚Freiheitsdrama‘, wie es das Mißverstehen der Zeitgenossen, dem sie einen Teil ihres Erfolges verdankten, und noch manches Urteil der Nachwelt meinte.

Widersacher seiner Zeit ist Karl Moor nicht aus dem Haß des freiheitlich gesinnten Aufklärers gegen Vorurteile und rechtlose Willkür, sondern aus dem Ekel des Großgerichteten an Kleinheit und Enge, an Feigheit und Armseligkeit. ‚O daß der Geist Herrmanns noch in der Asche glimmte.‘ ‚Der lohe Lichtfunke Prometheus’ ist ausgebrannt.‘ Dem Abfall des Menschen von seiner Bestimmung gilt seine zweifelnde Klage: ‚Warum soll dem Menschen das gelingen, was er von der Ameise hat, wenn ihm das fehlschlägt, was ihn den Göttern gleich macht? — Oder ist hier die Mark seiner Bestimmung?‘ Es ist bei aller Einkleidung in entlehnte Zeitbegriffe Schillers eigenste Seelenqual, das gleiche Leiden an menschlichem Unwert, dem später die ‚Ästhetischen Briefe‘ Ausdruck geben: ‚Dringend spricht das Unglück seiner Gattung zu dem fühlenden Menschen, dringender ihre Entwürdigung‘, und der gleiche Antrieb wirkt in Karl Moor, der dort geschildert wird: ‚der Enthusiasmus entflammt sich, und das glühende Verlangen strebt in kraftvollen Seelen ungeduldig zur Tat.‘

Zeuge dafür, daß es schon hier nicht nur um das Abwerfen von Fesseln geht, sondern eine höhere Norm geheim und noch halb unbewußt waltet, daß ‚das Gesetz unter die Füße gerollt ist‘ nicht um der Gesetzlosigkeit, sondern um eines neuen Gesetzes willen, ist der Räuberstaat selbst. Eine wahrhafte Gemeinschaft, da jeder einzelne sich gebunden weiß durch innerste Zugehörigkeit, *ein* Feuer alle durchglüht, jeder sich Glied des Ganzen und mit dem vollen Einsatz seines Selbst ihm verhaftet fühlt — dieses Zielbild echteren menschlichen und staatlichen Lebens, das Posa ersehnt, das der ‚Tell‘ verkörpern soll und dessen Verwirklichung die Aufgabe des ‘Ästhetischen Staates’ ist: im Bund der von aller bürgerlichen Ordnung losgerissenen Räuber, bei deren Schilderung keine krasseste Realistik vermieden ist, kündet es bereits sich ahnend an, wird schon hier als richtende Gegenwelt dem Bestehenden gegenübergestellt. Darin liegt die Wucht etwa der Szene mit dem Pater, der, ein Abgesandter der bürgerlichen Gerechtigkeit, vor der Größe dieses Führers, vor der bedingungslosen Hingabe dieser Gefährten, die ihn in fassungsloses Staunen versetzt, feig und jämmerlich zunichte wird. ‚Sag dem Senat, der dich

---

(156) Gerhard, Melitta: Schiller. A. Francke AG Verlag, Berlin 1950.

gesandt hat, du träfst unter Moors Bande keinen einzigen Verräter an'; und Moor weiß: ‚Itzt sind wir frei!'

Ungenügen und Widerwillen über eine stumpf gewordene, entleerte Welt ist der Keim der ‚Räuber', wie es der des ‚Götz' war. Hier wie dort nimmt der Kraftvolle, heldisch Gesinnte den Kampf auf mit Gemeinheit und Erniedrigung, die ihn einengt und hemmt. Aber — und das erst beleuchtet die letzten Gründe von Schillers Seelenhaltung — Karl Moor ist nicht der Ungebrochene wie Götz, den eine geschwächte Zeit, die ihn nicht faßt, wohl vernichten, aber nicht in seinem Wesen zerstören kann. Götz ficht, Vertreter edleren Seins, unbeirrbar gegen den äußeren Feind, Karl Moors schwerstes Gericht gilt dem eigenen Selbst. Sein Kampf gegen die Welt ist nicht nur vergeblich, wie es auch der des Götz ist, er ist von vornherein ein *Irrweg*. Die Verzweiflung, die den Räuberführer angesichts seines Werks überkommt, ist nicht, wie man gemeint hat, nachträglicher Widerruf und Rückfall Schilles in überkommene Moral; hier liegt vielmehr von Anbeginn der Zielpunkt des inneren Geschehens. Nicht plötzlich und grundlos verwirft Karl Moor sein Tun; sein Selbstgericht am Schluß: ‚O über mich Narren, der ich wähnete, die Welt durch Greuel zu verschönern und die Gesetze durch Gesetzlosigkeit aufrecht zu halten!' nimmt nur gesteigert das Bekenntnis des zweiten Aktes wieder auf, das niedrige Mordlust seiner Folger in ihm auslöst: ‚Da steht der Knabe, schamrot und ausgehöhnt vor dem Auge des Himmels, der sich anmaßte, mit Jupiters Keule zu spielen.' [...]"

3.5.[157] „[...] Der dramatische Urinstinkt Schillers lebt sich in der wilden Verwegenheit aus, mit der — gleichgültig gegen psychologische Wahrheit — die Szenen auf äußerste Wirkung hin berechnet sind, das Drama zu einem Weltgericht, die Gestalten zu Trägern absoluter Prinzipien gemacht werden: Franz ist der Urbösewicht aus nihilistischem Prinzip, Karl gleichsam ein gefallener Erzengel, ein Revolutionär aus enttäuschter Sohnesliebe. Wenn auch vieles in dem Drama ins Monströse verzerrt ist, so ist es doch in der Grundidee und dem tragischen Pathos schon typisch für Schiller. Es geht um das Wesen der sittlichen Weltordnung. Karl Moor hat sich mit dem Schicksal eingelassen, hat furchtbare Untaten begangen, sich schuldig gemacht und so seine Freiheit verloren. Zwangsläufig muß er auf seiner Bahn weitergehen. Erst als er erkennt, daß ‚zwei Menschen wie er den ganzen Bau der sittlichen Welt zugrund richten', und als er bereit ist, seine Taten zu sühnen, überwindet er sich selbst und gewinnt seine innere Freiheit wieder. [...]"

3.6.[158] „[...] Es ist das geniale Werk eines geborenen Dramatikers. Bei Schiller steht nicht wie bei Goethe der Mensch als Selbstwert in seiner eigenen Individualität auf der Bühne, sondern als Figurant, als Träger von Überzeugungen. Franz, der 'spekulative Schurke' (Th. Mann), empört sich gegen die Sinnlosigkeit der Welt, indem er sich selber absolut setzt und seine Pläne mit der berechnenden Vernunft des Rationalisten verfolgt. Karl fordert Rache an einer sinnwidrigen Gesellschaftsordnung mit ihren verderbten Geschöpfen. Beide sind dialektisch aufeinander bezogen, verkörpern zwei Seiten Schillers: ihr Gegenspieler, dem sie im Kampf sich stellen, ist die göttliche Ordnung, an der sie schließlich zerbrechen. [...]"

(157) Grabert, W./Mulot, A.: Geschichte der deutschen Literatur. Bayerischer Schulbuch-Verlag, München 1968, S. 204/05.
(158) Hoffmann, Friedrich G./Rösch, Herbert: Grundlagen, Stile, Gestalten der deutschen Literatur. Hirschgraben-Verlag, Frankfurt 1970, S. 137/38.

D) Text-Destruktion

Auf der letzten Stufe des literaturanalytischen Erkenntnisprozesses vollzieht sich die Text-Destruktion in der bereits ausführlich dargestellten Form.

Sie zielt grundsätzlich, als Eingreifen in das literarische Werk vom Standpunkt der Gegenwart aus, auf das Erfassen des Textes in seiner (real möglichen) objektiven Antizipation und Konkordanz mit dem Bwußtsein der Gegenwart. Sie wird die geschichtlichen Spuren der Utopie (Kritik) und Ideologie (Apologetik), die sich dem literarischen Werk eingekerbt haben und die in der vorausgegangenen Analyse freigelegt worden sind, für das Bewußtsein der Gegenwart nützlich machen.

Voraussetzungen für diesen letzten methodischen Schritt, in dem sich Objekt-Reflexion und Selbstreflexion vermitteln, sind, wie gezeigt, die vorläufige und partikulare, d. h. von partikularen Erkenntnisinteressen zunächst noch bestimmte Textdestruktion, die empirische Text-Feststellung und die historisch-kritische Textanalyse. In ihm wird der vorstoßende Anfang des analytischen Prozesses auf einer höheren Stufe der Reflexion eingeholt und zugleich kritisch überprüft. Diese kritische Überprüfung soll zur Ausrichtung der Analyse auf das fundamentale (emanzipatorische) Erkenntnisinteresse führen.

„Im Begriff des erkenntnisleitenden Interesses sind die beiden Momente schon zusammengenommen, deren Verhältnis erst geklärt werden soll: Erkenntnis und Interesse. Aus Alltagserfahrungen wissen wir, daß Ideen oft genug dazu dienen, unseren Handlungen rechtfertigende Motive anstelle der wirklichen zu unterschieben. Was auf dieser Ebene Rationalisierung heißt, nennen wir auf der Ebene kollektiven Handelns Ideologie. In beiden Fällen ist der manifeste Gehalt von Aussagen durch die unreflektierte Bindung eines nur zum Scheine autonomen Bewußtseins an Interessen verfälscht. Mit Recht zielt deshalb die Disziplin des geschulten Denkens auf die Ausschaltung solcher Interessen. In allen Wissenschaften sind Routinen ausgebildet worden, die der Subjektivität des Meinens vorbeugen; und gegen den unkontrollierten Einfluß der tieferliegenden Interessen, die weniger am Individuum als an der objektiven Lage gesellschaftlicher Gruppen hängen, ist sogar eine neue Disziplin, die Wissenssoziologie, auf den Plan getreten. Das ist aber nur die eine Seite. Weil sich die Wissenschaft die Objektivität ihrer Aussagen gegen den Druck und die Verführung partikularer Interessen erst erringen muß, täuscht sie sich andererseits über die fundamentalen Interessen hinweg, denen sie nicht nur ihren Antrieb, sondern die Bedingungen möglicher Objektivität selber verdankt.

Die Einstellung auf technische Verfügung, auf lebenspraktische Verständigung und auf Emanzipation von naturwüchsigem Zwang legt nämlich die spezifischen Gesichtspunkte fest, unter denen wir die Realität als solche erst auffassen können. Indem wir der Unüberschreitbarkeit dieser transzendentalen Grenzen möglicher Weltauffassung innewerden, erwirbt sich durch uns ein Stück Natur Autonomie in der Natur. Wenn Erkenntnis je ihr eingeborenes

Interesse überlisten könnte, dann in dieser Einsicht, daß die Vermittlung von Subjekt und Objekt, die das philosophische Bewußtsein ausschließlich seiner Synthesis zurechnet, anfänglich durch Interessen hergestellt ist. Reflexiv kann der Geist dieser Naturbasis innewerden [...] Die Einheit von Erkenntnis und Interesse bewährt sich in einer Dialektik, die aus den geschichtlichen Spuren des unterdrückten Dialogs das Unterdrückte rekonstruiert." [159]

Eine spezielle inhaltliche Bestimmung der Textdestruktion in Beziehung auf die ‚Räuber' verbietet sich deshalb, weil sie sich immer wieder historisch zu relativieren hat: d. h. sie muß sich, in der Perspektive des aufgezeigten Widerspruchs, dem jeweils neuesten Entwicklungsstand des gesellschaftlichen Prozesses anmessen. Dann wird es möglich, in der Zeit, in der die ‚Räuber' entstanden, „die Zeit, die sie erkennt — das ist die unsere — zur Darstellung zu bringen. Damit wird die Literatur ein Organon der Geschichte" [160], das bedeutet zugleich: sie wird — unter dem Gesichtspunkt der historisch-kritischen Sozialtheorie — ein Organon der geschichtlichen und gesellschaftlichen Erkenntnis.

(159) Habermas, Jürgen: Erkenntnis und Interesse. In: Technik und Wissenschaft als 'Ideologie'. edition suhrkamp 287. Frankfurt 1968, S. 159/60 und S. 164.
(160) Vgl. Anm. 8 (Benjamin).

Arbeitsfragen

1. Wie wird das wechselseitige Bedingungsverhältnis zwischen Theorie, Gegenstand und Methode bestimmt? Welche Folgerungen ergeben sich daraus für die Bestimmung und Erklärung des Gegenstands (des literarischen Gebildes)?

2. Mit welchen Argumenten wird der positivistische Ansatz abgewiesen?

3. Charakterisieren Sie die grundlegenden analytischen Begriffe in ihrer Funktion für die historisch-kritische Sozialtheorie! (Erkenntnisprozeß, ästhetische und historisch-gesellschaftliche Erfahrung, Geschichtsprozeß und Totalität, Bewegungstendenz, Phänomenalität zweiten Grades, Vermittlung, prozeßhaft-eingreifendes Lesen und Denken.)

4. Aus welchen Gründen und mit welcher Absicht wird die skizzierte Sozialtheorie als eine „historische" und „kritische" gekennzeichnet?

5. Welche anderen literatursoziologischen Verfahrensweisen werden angeführt, und wie werden sie bestimmt?

6. Worin liegen jeweils die Unterschiede zur historisch-kritischen Sozialtheorie? Auf welche Punkte der anderen Verfahrensweisen richtet sich die Kritik, und mit welchen Argumenten wird sie unterlegt?

7. Beschreiben Sie, in Beziehung auf Herder, die Tendenz zum geschichtlichen Prozeß- und Totalitätsdenken, die Geschichtlichkeit des ästhetischen Bewußtseins und der ästhetischen Theoriebildung sowie das Determiniertsein der Literatur in einem Feld von Veranlassungen!

8. Inwiefern sind darin Vorstufen der historisch-kritischen Sozialtheorie gegeben? In welchen Punkten bleibt Herder noch grundsätzlich hinter dieser Theorie zurück?

9. Wie wird der dialektische Zusammenhang von sprachlicher und gesellschaftlicher Produktion bei Marx, Kofler, Lefèbvre und Rossi-Landi beschrieben und begründet? Welche Konsequenzen ergeben sich daraus für den sozialtheoretischen Literaturbegriff?

10. Mit welchen signifikanten Funktionen wird der Ideologie-Begriff versehen? Welcher Zusammenhang besteht zwischen Sprache und Ideologie? Wie werden Ideologie und Utopie unterschieden?

11. In welcher Form und Funktion werden Ideologie (Apologetik) und Utopie (Kritik) auf die Literatur übertragen?

12. Erklären Sie die Begriffe „Dogma", „Modell", „objektive Antizipation", „ästhetischer Vor-Schein", „exakte Phantasie" aus dem Zusammenhang der bisherigen Überlegungen!

13. Inwiefern impliziert ästhetische Erkenntnis historisch-gesellschaftliche Erkenntnis? Wie wird, auf diesem Hintergrund, ästhetisches Lernen charakterisiert?

14. Welcher Zusammenhang besteht zwischen gesellschaftlichen Tendenzen, ästhetischen Bruchstellen und literarisch-technischen Revolutionen?

15. Welche analytische Funktion und welches Ziel werden der prismatischen Arbeit und der Text-Destruktion zugewiesen?

16. In welcher Hinsicht und mit welchen Argumenten wird die Rezeption

der fortgeschrittenen und utopischen künstlerischen Artikulationen von Negt und Kluge problematisiert? Welche Voraussetzungen müssen erfüllt sein (nach Negt und Kluge), um die Rezeption durch die allgemeine gesellschaftliche Erfahrung (die Erfahrung der Massen) möglich zu machen?

17. Wie bestimmt Lukács die Vermittlungsstruktur? Welche konkreten analytischen Operationen ergeben sich daraus für die Methode der historisch-kritischen Sozialtheorie?

18. Wie wird das Verhältnis zwischen literarischer Technik und literarischer Tendenz analysiert und charakterisiert (Brecht, Benjamin)? Erklären Sie die für die Analyse dieses Verhältnisses konstitutiven Begriffe!

19. Inwiefern ergibt sich von hier aus ein Ansatz zur Kritik an der Dokumentarliteratur?

20. Welche Beziehung wird zwischen der Transformation des Kunstwerks zur Ware und der historisch-kritischen Sozialtheorie hergestellt?

21. Beschreiben und erklären Sie die einzelnen methodischen Operationen als Stufen des in der historisch-kritischen Sozialtheorie fundierten Erkenntnisprozesses! (Motivation und vorläufige, partikulare Text-Destruktion, empirische Text-Feststellung, historisch-kritische Text-Analyse, Text-Destruktion.)

22. Leiten Sie daraus ein literaturdidaktisches Konzept ab! Welche Lernziele sind in dem Methodenkonzept der historisch-kritischen Sozialtheorie impliziert?

23. Überprüfen Sie die Umsetzung des Methodenkonzepts in die Modell-Analyse! An welchen Punkten könnte die Kritik ansetzen?

24. Wenden Sie das Methodenkonzept auf andere literarische Werke an!

Namenregister

Sachregister